MW01009916

El mundo como supermercado

Michel Houellebecq

El mundo como supermercado

Traducción de Encarna Castejón

EDITORIAL ANAGRAMA
BARCELONA

Título de la edición original:
Interventions

Diseño de la colección:
Julio Vivas
Ilustración: foto © Messina/Métis

Pedró de la Creu, 58
08034 Barcelona

ISBN: 84-339-6142-X
Depósito Legal: B. 33836-2000

Printed in Spain

Liberduplex, S. L., Constitució, 19, 08014 Barcelona

Puesto que el hombre y la novela son isomorfos, lo normal sería que ésta pudiera contener todo lo que tiene que ver con aquél. Por ejemplo, nos equivocamos al imaginar que los seres humanos llevan una vida pura y simplemente material. De manera, digamos, paralela a su vida, no dejan de hacerse preguntas que habría que calificar –a falta de mejor término– de *filosóficas*. He observado esta característica en todas las clases sociales, de las más humildes a las más altas. Ni el dolor físico, ni la enfermedad, ni el hambre son capaces de acallar completamente esa interrogación existencial. Es un fenómeno que siempre me ha inquietado, más aún por lo mal que lo conocemos; contrasta vivamente con el realismo cínico que está de moda desde hace algunos siglos a la hora de hablar de la humanidad.

Por lo tanto, las «reflexiones teóricas» me parecen un material narrativo tan bueno como cualquier otro, y mejor que muchos. Lo mismo que las discusiones, las entrevistas, los debates... Y es más evidente todavía con la crítica literaria, artística o musical. En el fondo, todo debería poder transformarse en un libro único, que uno escribiría hasta poco antes de su muerte; esa manera de vivir me parece razonable, feliz, y quizás hasta posible de llevar más o menos a la práctica. En realidad, lo único que me parece muy difícil de integrar en una novela es la poesía. No digo que sea imposible, digo que me parece muy difícil. Por un lado está la poesía, por otro la vida; entre ambas hay semejanzas, sin más.

Lo más evidente que tienen en común los textos reunidos aquí es que me pidieron que los escribiera; al menos, me pidieron que escribiera algo. Fueron publicados en diversos periódicos o revistas, y se convirtieron en imposibles de encontrar. Conforme a lo que acabo de decir, podría haber pensado en reciclarlos en una obra más amplia. Lo he intentado, pero rara vez lo he conseguido; sin embargo, todavía me importan. Ésta es, en resumen, la razón de su publicación.

Jacques Prévert es un imbécil

Artículo aparecido en el número 22 (julio de 1992) de Lettres françaises.

Jacques Prévert es uno de esos hombres cuyos poemas aprendemos en el colegio. Resulta que amaba las flores, los pájaros, los barrios del viejo París, etc. Pensaba que el amor alcanzaba su plenitud en un ambiente de libertad; en general, estaba *más bien a favor* de la libertad. Llevaba gorra y fumaba Gauloises; a veces la gente lo confunde con Jean Gabin; por otra parte, fue él quien escribió los guiones de *El muelle de las brumas*, *Las puertas de la noche*, etc. También escribió el guión de *Los niños del paraíso*, considerado su obra maestra. Todas éstas son buenas razones para aborrecer a Jacques Prévert; sobre todo si uno lee los guiones que Antonin Artaud escribió en la misma época y que nunca se rodaron. Es lamentable comprobar que ese repugnante *realismo poético*, cuyo principal artífice fue Prévert, sigue causando estragos, y que la gente se lo atribuye a Leos Carax como si fuera un halago (del mismo modo que Rohmer sería sin duda un nuevo Guitry, etc.). De hecho, el cine francés nunca se ha recuperado de la llegada del sonoro; acabará enterrado por su culpa, y bien está.

En la posguerra, más o menos en la misma época que Jean-Paul Sartre, Jacques Prévert tuvo un éxito enorme; a uno le impresiona, a su pesar, el optimismo de esa generación. En la actualidad, el pensador más influyente sería más bien Cioran. En aquella época escuchaban a Vian, a Brassens... Enamorados que se besuquean en los bancos públicos, *boom* de natalidad, construcción masiva de viviendas de protección oficial para alojar a toda aquella gente. Mucho optimismo, mucha fe en el porvenir y un poco de imbecilidad. Es evidente que nos hemos vuelto mucho más inteligentes.

Prévert tuvo menos suerte con los intelectuales. Sin embargo, sus poemas rebosan de esos estúpidos juegos de palabras que gustan tanto en Bobby Lapointe; pero es cierto que la canción es, como suele decirse, un *género menor*, y que hasta los intelectuales tienen que distraerse. Cuando abordan los textos escritos, su auténtico medio de sustento, se vuelven implacables. Y el «trabajo del texto», en Prévert, siempre es embrionario; escribe con nitidez y verdadera naturalidad, a veces incluso con emoción; no le interesan ni la escritura ni la imposibilidad de escribir; su gran fuente de inspiración es, ante todo, la vida. Así que, con pocas excepciones, se ha salvado de las tesis de tercer ciclo. No obstante, ahora ha entrado en la Pléiade, lo cual constituye una segunda muerte. Ahí está su obra, completa y fijada. Es una magnífica ocasión para preguntarse por qué la poesía de Prévert es tan mediocre, hasta el punto de que uno siente a veces, al leerla, una especie de vergüenza. La explicación clásica (porque su escritura «carece de rigor») es completamente falsa; en realidad, a través de sus juegos de palabras, de su ritmo leve y nítido, Prévert expresa a la perfección su concepción del mundo. La forma es coherente con el fondo, que es lo máximo que se puede exigir de una forma. Por otra parte, cuando un poeta se sumerge hasta ese punto en la vida, en la vida real de su época, juzgarle según criterios meramente estilísticos sería un insulto. Si Prévert escribe, es porque tiene algo que decir; eso le honra. Desgraciadamente, lo que tiene que decir es de una estupidez sin límites; a veces da náuseas. Hay chicas bonitas y desnudas, hay burgueses que sangran como cerdos cuando los degüellan. Los niños son de una inmoralidad simpática, los gamberros son seductores y viriles, las chicas bonitas y desnudas entregan su cuerpo a los gamberros; los burgueses son viejos, obesos, impotentes, están condecorados con la Legión de Honor, y sus mujeres son frígidas; los curas son orugas viejas y asquerosas que inventaron el pecado para impedir que vivamos. Ya sabemos todo esto; podemos preferir a Baudelaire. O incluso a Karl Marx, que por lo menos no se equivocó de diana al escribir que «el triunfo de la burguesía ha ahogado los estremecimientos sagrados del éxtasis religioso, del entusiasmo caballeresco y del sentimentalismo barato bajo las aguas heladas del cálculo egoísta».* La inteligencia no ayuda en absoluto a escribir buenos poemas; sin embargo, puede impedir que uno escriba poemas malos. Jacques Prévert es un mal poeta, más que nada porque su visión del mundo es anodina, superficial y falsa. Ya era falsa en su época; ahora deslumbra por su nulidad, hasta el punto de que toda su obra parece derivarse de un tópico gigantesco. A nivel filosófico y político Jacques Prévert es, sobre todo, un libertario; es decir, fundamentalmente, un imbécil.

Ahora chapoteamos desde nuestra más tierna infancia en las «aguas heladas del cálculo egoísta». Podemos acostumbrarnos a ellas, intentar sobrevivir en ellas; podemos también dejarnos llevar por la corriente. Pero resulta imposible imaginar que la liberación de las fuerzas del deseo sea capaz, por sí misma, de provocar un recalentamiento. Una anécdota cuenta que fue Robespierre quien insistió

* *La lutte des clases en France.*

en añadir la palabra «fraternidad» a la divisa de Francia; ahora estamos en condiciones de apreciarla plenamente. Desde luego, Prévert se consideraba partidario de la fraternidad; pero Robespierre no era, ni mucho menos, adversario de la virtud.

Le mirage[1]

de Jean-Claude Guiguet

1. El espejismo. *(N. de la T.)*

Artículo aparecido en el número 27 (diciembre de 1992) de Lettres françaises.

Una familia de la burguesía culta a orillas del lago Léman. Música clásica, secuencias breves con mucho diálogo, planos de recurso sobre el lago: todo esto puede provocar una penosa impresión de *déjà vu*. El hecho de que la hija se dedique a pintar acentúa nuestra inquietud. Pero no, no se trata del clon número veinticinco de Eric Rohmer. Por extraño que parezca, es mucho más.

Cuando una película yuxtapone constantemente lo exasperante y lo mágico, es raro que lo mágico acabe dominando; sin embargo, eso es lo que ocurre aquí. A los actores, bastante mediocres, les cuesta mucho interpretar un texto visiblemente demasiado elaborado, que a veces roza lo ridículo. Puede que los acusen de no encontrar el tono; pero no es sólo culpa suya. ¿Cuál es el tono adecuado para una frase como «nos acompaña el buen tiempo»? Sólo la madre, Louise Marleau, es perfecta de principio a fin, y su maravilloso monólogo amoroso (el monólogo amoroso, en el cine, es algo sorprendente) nos gana por completo. Uno puede perdonar ciertos diálogos dudosos, ciertas puntuaciones musicales un poco excesivas; por otro lado, todo esto pasaría inadvertido en una película corriente.

A partir de un tema de trágica sencillez (es primavera y

hace buen tiempo; una mujer de unos cincuenta años aspira a vivir una última pasión carnal; pero si bien la naturaleza es bella, también es cruel), Jean-Claude Guiguet ha corrido el máximo riesgo: el de la perfección formal. Tan lejos del efecto videoclip como del realismo sucio, no menos alejada de la arbitrariedad experimental; lo único que busca esta película es la belleza pura. La planificación de las secuencias, clásica, depurada, de una dulce audacia, encuentra una correspondencia exacta en la simetría de los encuadres. Todo ello preciso, sobrio, estructurado como las facetas de un diamante: una obra rara. Como es raro ver una película donde la luz se adapta a la tonalidad emocional de las escenas con tanta inteligencia. La iluminación y el decorado son de una exactitud impresionante, tienen un tacto infinito; permanecen en segundo plano, como un acompañamiento orquestal discreto y denso. Sólo en las tomas de exteriores, en esas praderas soleadas que bordean el lago, irrumpe la luz, desempeña un papel central; y esto también casa a la perfección con el propósito de la película. Luminosidad carnal y terrible de los rostros. Máscara tornasolada de la naturaleza, que disimula, lo sabemos, un hormigueo sórdido; máscara, sin embargo, imposible de arrancar; dicho sea de paso, nunca se ha captado con tanta profundidad el espíritu de Thomas Mann. No podemos esperar nada bueno del sol; pero tal vez los seres humanos, en cierta medida, puedan llegar a amarse. No recuerdo haber oído nunca a una madre decirle a su hija «te quiero» de una manara tan convincente; nunca, en ninguna película.

Con violencia, con nostalgia, casi con dolor, *Le mirage* pretende ser una película culta, una película *europea;* y lo extraño es que lo consigue, uniendo una hondura y un sentido del desgarramiento casi germánicos a una luminosidad, una claridad de exposición profundamente francesas. Una película rara de verdad.

La mirada perdida

Elogio del cine mudo

Artículo aparecido en el número 32 (mayo de 1993) de Lettres françaises.

El ser humano habla; a veces, no habla. Cuando lo amenazan se retrae, otea rápidamente el espacio con la mirada; desesperado, se repliega en sí mismo, se enrosca en torno a un centro de angustia. Feliz, su respiración se vuelve más lenta; existe en un ritmo más amplio. En la historia del mundo ha habido dos artes (la pintura, la escultura) que han intentado sintetizar la experiencia humana por medio de representaciones petrificadas; movimientos suspendidos. A veces han decidido suspender el movimiento en su punto de equilibrio, de mayor suavidad (en su punto de eternidad): todas las Vírgenes con Niño. A veces han congelado la acción en su punto de mayor tensión, de más intensa expresividad: el barroco, desde luego; pero también muchos cuadros de Friedrich evocan una explosión helada. Ambas artes se han desarrollado durante varios milenios; han tenido ocasión de producir obras acabadas según su ambición más secreta: suspender el tiempo.

En la historia del mundo ha habido un arte cuyo objeto era el estudio del movimiento. Consiguió desarrollarse durante unos treinta años. Entre 1925 y 1930 produjo algunos planos en algunas películas (pienso sobre todo en Murnau, en Eisenstein, en Dreyer) que justificaban su existencia como arte; luego desapareció, se diría que para siempre jamás.

Las chovas emiten señales de alerta y de reconocimiento mutuo; se han podido identificar más de sesenta signos. Las chovas siguen siendo una excepción: en conjunto, el mundo funciona en un silencio terrible; expresa su esencia a través de la forma y del movimiento. El viento sopla entre la hierba (Eisenstein); una lágrima resbala por un rostro (Dreyer). El cine mudo veía abrirse ante él un inmenso espacio: no era sólo una investigación de los sentimientos humanos; no sólo una investigación de los movimientos del mundo; su mayor ambición era constituir una investigación de las condiciones de la percepción. La distinción entre el fondo y la figura es la base de nuestras representaciones; pero también, de modo más misterioso, nuestro espíritu busca su camino en el mundo entre la figura y el movimiento, entre la forma y el proceso que la engendra; de ahí esa sensación casi hipnótica que nos invade delante de una forma inmóvil engendrada por un movimiento perpetuo, como las ondas estacionarias en la superficie de un charco.

¿Qué ha quedado de todo esto después de 1930? Algunas huellas, sobre todo en las obras de los cineastas que empezaron a trabajar en la época del cine mudo (la muerte de Kurosawa es más que la muerte de un hombre); algunos instantes en películas experimentales, en documentales científicos, incluso en series (*Australia,* estrenada hace unos pocos años, es un ejemplo). Es fácil reconocer esos instantes: en ellos, cualquier palabra es imposible; la música misma se vuelve un poco *kitsch*, pesada, vulgar. Nos convertimos en pura percepción; el mundo aparece en su inmanencia. Nos sentimos muy felices, con una felicidad extraña. Enamorarse también puede provocar esa clase de efectos.

El absurdo creador

Jean Cohen, teórico de la poesía, es autor de dos obras: Structure du langage poétique *(Flammarion/Champs, 1966) y* Le haut langage *(Flammarion, 1979). El segundo se reeditó en José Corti en 1995, poco después de la muerte del autor. Este artículo apareció en* Les Inrockuptibles *(número 13) con ocasión de esa reedición.*

Structure du langage poétique [Estructura del lenguaje poético] cumple los criterios de seriedad de la Universidad; lo cual no tiene por qué ser forzosamente una crítica. Jean Cohen observa en su libro que la poesía se permite considerables desviaciones comparada con el lenguaje prosaico, ordinario, el que sirve para transmitir información. Emplea constantemente epítetos no pertinentes («crepúsculos blancos», Mallarmé; «negros perfumes», Rimbaud). No se resiste al placer de lo obvio («No lo desgarres con tus dos manos blancas», Verlaine; el espíritu prosaico se ríe burlón: ¿acaso ella tenía tres?). No le asusta cierta inconsecuencia («Ruth pensaba y Booz soñaba; la hierba era negra», Hugo; dos notaciones yuxtapuestas, señala Cohen, cuya unidad lógica no se entiende demasiado bien). Se complace con deleite en la redundancia, proscrita en prosa con el nombre de *repetición;* un caso límite sería el poema de García Lorca *Llanto por Ignacio Sánchez Mejías*, en el que las palabras «cinco de la tarde» aparecen treinta veces en los primeros cincuenta y dos versos. Para establecer su tesis, el autor lleva a cabo un análisis estadístico comparativo de textos poéticos y textos en prosa (para él, el colmo de lo prosaico –cosa muy significativa– son los escritos de los grandes científicos de finales del siglo XIX: Pasteur, Claude Bernard, Marcelin Berthelot). El mismo método le permite comprobar que la desviación poética es mucho mayor en los románticos que en los clásicos, y aumenta todavía más en los simbolistas. Uno, intuitivamente, ya se lo olía; no obstante, es agradable verlo demostrado con tal claridad. Cuando acaba el libro, uno está seguro de una cosa: el autor ha señalado ciertas desviaciones características de la poesía, sí; ¿pero a qué tienden todas esas desviaciones? ¿Cuál es su objetivo, si es que lo tienen?

Después de varias semanas de travesía, avisaron a Cristóbal Colón de que la mitad de los víveres se habían terminado; y no había señales de que estuvieran acercándose a tierra. En ese preciso momento, su aventura se convierte en algo heroico: en el momento en que decide continuar hacia el oeste sabiendo que ya no hay posibilidad humana de retorno. Ya en la introducción de *Haut langage* [Lengua alta], Jean Cohen enseña sus cartas: va a apartarse de la mayoría de las teorías existentes sobre la naturaleza de la poesía. Lo que hace la poesía, nos dice, no es añadir cierta música a la prosa (como se creyó durante mucho tiempo en la época en que todos los poemas tenían que ser en verso); tampoco es añadir un significado subyacente al significado explícito (interpretación marxista, freudiana, etc.). Ni siquiera es la multiplicación de significados secretos, ocultos bajo el primer significado (teoría polisémica). En resumen, la poesía no es la prosa más otra cosa: no es algo más que la prosa, es *otra*. *Structure du langage poétique* terminaba con un atestado: la poesía se desvía del lenguaje corriente, y se desvía cada vez más. Una teoría nos viene naturalmente a la cabeza: el objetivo de la poesía es establecer una desviación máxima, quebrar, deconstruir todos los códigos de comunicación existentes. Jean Cohen rechaza también esta teoría; todo lenguaje, afirma, asume una función de intersubjetividad, y el lenguaje poético no escapa a esta regla: la poesía habla del mundo de otra manera, pero no cabe duda de que habla del mundo tal y como los hombres lo perciben. Y, exactamente en este punto, Cohen decide correr un riesgo considerable: porque si las estrategias de desviación de la poesía no son un objetivo en sí mismas, si es verdad que la poesía es más que una búsqueda o un juego de lenguaje, si es cierto que intenta instituir una palabra distinta sobre la misma realidad, es que nos enfrentamos a dos visiones, irreductibles, del mundo.

La marquesa salió a las cinco y diecisiete; podría haber salido a las seis treinta y dos; podría haber sido duquesa, y haber salido a la misma hora. La molécula de agua se compone de dos átomos de hidrógeno y uno de oxígeno. El volumen de las transacciones financieras ha aumentado notablemente en 1995. Para librarse de la atracción terrestre, un cohete debe desplegar durante el despegue una energía directamente proporcional a su masa. El lenguaje prosaico organiza reflexiones, argumentos, hechos; en el fondo, organiza sobre todo hechos. Acontecimientos arbitrarios, pero descritos con enorme precisión, se entrecruzan en un espacio y un tiempo neutros. Cualquier aspecto cualitativo o emotivo desaparece de nuestra visión del mundo. Es la perfecta realización de la sentencia de Demócrito: «Lo dulce y lo amargo, lo frío y lo caliente, el color, no son más que opinión; la única verdad son los átomos y el vacío.» Texto de una belleza auténtica pero restringida, que recuerda inevitablemente la famosa «escritura Minuit»,[1] cuya influencia se deja notar desde hace sus buenos cuarenta años, precisamente porque corresponde a una metafísica

1. Prestigiosa editorial francesa que ha publicado a autores como Samuel Beckett o Georges Bataille. *(N. de la T.)*

democritana que sigue siendo mayoritaria; tan mayoritaria que a veces se confunde con el programa científico en general, cuando lo cierto es que éste sólo firmó con ella un pacto circunstancial –aunque el pacto haya durado varios siglos– para luchar contra el pensamiento religioso.

«Cuando el cielo bajo y bochornoso pesa como una tapadera...» Este verso terriblemente *cargado,* como tantos versos de Baudelaire, intenta algo muy distinto a transmitir información. No sólo el cielo, sino el mundo entero, el ser de aquel que habla, el alma de aquel que escucha se impregnan de angustia y de opresión. Aparece la poesía; el significado patético invade el mundo.

Según Jean Cohen, el objetivo de la poesía es generar un discurso fundamentalmente a-lógico, donde se suspenda cualquier posibilidad de negación. Para el lenguaje informativo, lo que es podría no ser, o ser de otro modo, en otro tiempo o en otro lugar. Al contrario, las desviaciones poéticas intenta crear un «efecto de ilimitado», donde el ámbito de la afirmación se apodere de todo el mundo y no deje subsistir la excepción de la contradicción. Esto aproxima el poema a las manifestaciones primitivas como el lamento o el grito. Cierto que el registro es muy amplio; pero, en el fondo, las palabras y el grito son de la misma naturaleza. En la poesía las palabras vibran, recuperan su vibración original; pero no se trata de una vibración exclusivamente musical. A través de las palabras, la realidad que éstas designan recupera su poder de horror o de fascinación, su *pathos* original. El azur es una experiencia inmediata. De igual modo, cuando cae la luz del día, cuando los objetos pierden sus colores y sus contornos y se funden lentamente en un gris que poco a poco se vuelve más oscuro, el hombre se siente solo en el mundo. Esto es verdad desde sus primeros días sobre la tierra, desde antes de que fuera hombre; es mucho más antiguo que el lenguaje. La poesía intenta recuperar estas percepciones inquietantes; por supuesto, emplea el lenguaje, el «significante»; pero considera que el lenguaje sólo es un medio. Una teoría que Jean Cohen resume en esta frase: «La poesía es el canto del significado.»

Resulta entonces comprensible que llegue a desarrollar otra tesis: ciertos modos de percepción del mundo son poéticos en sí mismos. Todo lo que contribuye a disolver los límites, a hacer del mundo un conjunto homogéneo y mal diferenciado, está impregnado de fuerza poética (es el caso de la bruma, o del crepúsculo). Ciertos objetos tienen un impacto poético, no en tanto que objetos, sino porque al agrietar mediante su mera presencia la delimitación del espacio y del tiempo, inducen un estado psicológico especial (y hay que reconocer que sus análisis sobre el océano, la ruina o el navío son perturbadores). La poesía no es solamente otro lenguaje; es otra mirada. Una manera de ver el mundo, todos los objetos del mundo (tanto las autopistas como las serpientes, las flores o los aparcamientos). En esta fase del libro, la poética de Jean Cohen ya no tiene nada que ver con la lingüística; se relaciona directamente con la filosofía.

Toda percepción se organiza sobre una doble diferencia: entre el objeto y el sujeto, entre el objeto y el mundo. La nitidez con la que uno se enfrenta a estas distinciones tiene profundas implicaciones filosóficas, y no es arbitrario distribuir las metafísicas existentes a lo largo de esos dos ejes. Según Jean Cohen, la poesía opera una disolución general de las referencias: objeto, sujeto y mundo se confunden en una misma atmósfera patética y lírica. Al contrario, la metafísica de Demócrito lleva esas dos distinciones a su máxima claridad (una claridad cegadora, la del sol sobre unas piedras blancas un mediodía de agosto: «No hay nada más que átomos y vacío»).

En principio, la causa parece concluyente y la poesía condenada como residuo simpático de una mentalidad prelógica, la del hombre primitivo o la del niño. El problema es que la metafísica de Demócrito es falsa. Precisemos: ya no es compatible con los datos de la física del siglo XX. En efecto, la mecánica cuántica invalida cualquier posibilidad de metafísica materialista, y conduce a revisar de arriba abajo las distinciones entre el objeto, el sujeto y el mundo.

En 1927, Niels Bohr propone lo que se ha dado en llamar «la interpretación de Copenhague». Producto de un compromiso laborioso y a veces trágico, la interpretación de Copenhague hace hincapié en los instrumentos, los procedimientos de medida. Otorgando pleno sentido al principio de incertidumbre de Heinsenberg, establece nuevas bases para el acto de conocimiento: el hecho de que sea imposible medir simultáneamente todos los parámetros de un sistema físico con precisión, no sólo se debe a que éstos se vean «afectados por la medida» sino, sobre todo, a que no existen independientemente de ella. Por lo tanto, hablar de su estado anterior no tiene ningún sentido. La interpretación de Copenhague libera el acto científico al hacer que la pareja observador-observado ocupe el lugar de un hipotético mundo real; permite volver a fundar la ciencia en general como medio de comunicación entre los hombres sobre la base de «lo que hemos observado, lo que hemos aprendido», para usar las palabras de Bohr.

En conjunto, los físicos de este siglo han seguido siendo fieles a la interpretación de Copenhague; lo cual no es una posición muy cómoda. Desde luego, en la práctica cotidiana de la investigación, la mejor manera de progresar es atenerse a un enfoque positivista duro, que puede resumirse así: «Nos conformamos con reunir observaciones, observaciones humanas, y con ponerlas en correlación mediante leyes. La idea de realidad no es científica y no nos interesa.» A pesar de todo, a veces debe de resultar desagradable darse cuenta de que no hay modo de formular con un lenguaje claro la teoría que uno está elaborando.

En este punto, vemos esbozarse extrañas comparaciones. Hace mucho tiempo que me sorprendió darme cuenta de que los teóricos de la física, cuando se alejan de las descomposiciones espectrales, los espacios de Hilbert, los operadores de Hermite, etc., en los que se basan sus publicaciones, rinden un insistente homenaje –cada vez que les preguntan– al lenguaje poético. No a la novela policíaca, ni a la música serial: no, lo que les interesa y les perturba es, concretamente, la poesía. Antes de leer a Jean Cohen, no conseguía entender por qué; al descubrir su poética, fui consciente de que algo estaba ocurriendo, sin lugar a dudas; y que ese algo estaba relacionado con las proposiciones de Niels Bohr.

En la atmósfera de catástrofe conceptual provocada por los primeros descubrimientos cuánticos, llegó a sugerirse que sería oportuno crear un nuevo lenguaje, una nueva lógica, o ambas cosas. Es evidente que el lenguaje y la lógica antiguos se prestaban mal a la representación del universo cuántico. Sin embargo, Bohr era reticente. La poesía, subrayaba, prueba que la utilización sutil y parcialmente contradictoria del lenguaje corriente permite superar sus limitaciones. El principio de complementariedad planteado por Bohr es un especie de *gestión sutil* de la contradicción: se introducen simultáneamente puntos de vista complementarios sobre el mundo; cada uno, por separado, puede ser expresado sin ambigüedad y en lenguaje claro; cada uno, por separado, es falso. Su presencia conjunta crea una situación nueva, incómoda para la razón; pero sólo podemos acceder a una representación correcta del mundo a través de ese malestar conceptual. A su vez, Jean

Cohen afirma que el empleo absurdo que la poesía hace del lenguaje no es un fin en sí mismo. La poesía rompe la cadena causal y juega constantemente con la potencia explosiva del absurdo; pero no es el absurdo. Se trata del absurdo creador; creador de un sentido diferente, extraño pero inmediato, ilimitado, emocional.

Entrevista con Jean-Yves Jouannais y Christophe Duchatelet

Entrevista aparecida en el número 119 (febrero de 1995) de Art Press.

¿Qué hace que esas pocas obras de las que eres autor, del ensayo sobre Lovecraft a tu última novela, Ampliación del campo de batalla, *pasando por* Rester vivant [Seguir vivo] *y el libro de poemas* La poursuite du bonheur [La búsqueda de la felicidad], *constituyan una obra? ¿Cuál es la unidad, la línea directriz, obsesiva?*

Ante todo, según creo, la intuición de que el universo se basa en la separación, el sufrimiento y el mal; la decisión de describir este estado de cosas y, quizás, de superarlo. Los medios –literarios o no– son secundarios. El acto inicial es el rechazo radical del mundo tal como es; también la adhesión a las nociones de bien y mal. La voluntad de profundizar en estas nociones, de delimitar su dominio, incluso en mi interior. Después viene la literatura. El estilo puede variar; es una cuestión de ritmo interno, de estado personal. No me preocupan mucho los problemas de coherencia; suele venir por sí misma.

Ampliación del campo de batalla *es tu primera novela. ¿Qué motivó esta elección, después de un libro de poemas?*

Me gustaría que no hubiera ninguna diferencia. Un

libro de poemas debería poder leerse de un tirón, de principio a fin. Del mismo modo, uno debería poder abrir una novela en cualquier página, y leerla con independencia del contexto. El contexto no existe. Es bueno desconfiar de la novela; no hay que dejarse atrapar por el argumento; ni por el tono, ni por el estilo. También en la vida cotidiana hay que andar con cuidado para no dejarse atrapar por la propia historia o, de forma aún más insidiosa, por la personalidad que uno imagina que es la suya. Habría que conquistar cierta libertad lírica; una novela ideal debería poder incluir pasajes en verso, o cantados.

O diagramas científicos.

Sí, eso sería perfecto. Tendría que caber todo. Novalis y los románticos alemanes en general aspiraban a un conocimiento total. Renunciar a esa ambición es un error. Nos agitamos como moscas aplastadas; pero eso no nos impide aspirar a un conocimiento total.

Es evidente que un pesimismo terrible impregna todos tus escritos. ¿Podrías enumerar dos o tres motivos que, en tu opinión, sirvan para rechazar el suicidio?

En 1783, Kant condenó claramente el suicidio en sus *Fundamentos de la doctrina de la virtud.* Dice: «Aniquilar en la propia persona al sujeto de la moralidad es expulsar del mundo, en la medida en que depende de uno mismo, la moralidad.» Un argumento que resulta ingenuo, de una inocencia casi patética, como ocurre a menudo con Kant; sin embargo, creo que no hay otro. Lo único que realmente puede mantenernos con vida es el sentido del deber. En concreto, si uno desea responsabilizarse de un deber práctico, se las arregla para que la felicidad de otro ser dependa de su existencia; por ejemplo, puede intentar educar a un niño, o a falta de niño, comprar un caniche.

¿Puedes hablarnos de esa teoría sociológica según la cual a la lucha por el éxito social propia del capitalismo se suma una lucha más brutal, más desleal, en este caso de signo sexual?

Es muy sencillo. Las sociedades animales y humanas establecen diversos sistemas de diferenciación jerárquica, que pueden basarse en el nacimiento (sistema aristocrático), la fortuna, la belleza, la fuerza física, la inteligencia, el talento..., por otra parte, todos estos criterios me parecen igualmente despreciables, y los rechazo; la única superioridad que reconozco es la bondad. Actualmente nos movemos en un sistema de dos dimensiones: la atracción erótica y el dinero. El resto, la felicidad y la infelicidad de la gente, se deriva de ahí. Para mí no se trata en absoluto de una teoría: es cierto que vivimos en una sociedad simple, así que estas pocas frases bastan para dar una descripción completa.

Una de las escenas más violentas de la novela sucede en una discoteca de la costa de Vendée. Hay escenas de seducción abortada, fracasos que causan resentimientos y amargura, encuentros exclusivamente sexuales. Sin embargo, este lugar aparece en tus textos como el equivalente del supermercado. ¿Consumimos en ambos de la misma manera?

No. Se puede hacer una comparación entre las ofertas de pollo y las minifaldas, pero la analogía termina ahí: en la revalorización de la oferta. El verdadero paraíso moderno es el supermercado; la lucha se acaba a sus puertas. Los pobres, por ejemplo, no entran. Uno gana dinero en otro lado; y luego va a gastárselo ante una oferta innovadora y variada, a menudo fiable a nivel de gusto y bien documentada desde el punto de vista de la nutrición. Los clubs nocturnos son algo muy distinto. Siguen yendo –contra toda esperanza– muchos frustrados. Y así pueden comprobar, a cada momento, su propia humillación; en este caso, estamos mucho más cerca del infierno. Se habla de supermercados del sexo, que tienen un catálogo bastante completo de su oferta porno; pero les falta lo esencial. Y es que el objetivo mayoritario de la búsqueda sexual no es el placer, sino la gratificación narcisista, el homenaje que una pareja deseable rinde a la propia perfección erótica. También por eso el sida sigue más o menos igual; el preservativo reduce el placer, pero la meta que se persigue, al contrario que en el caso de los productos alimenticios, no es el placer: es la embriaguez narcisista de la conquista. Y el consumidor porno no sólo no experimenta esta embriaguez, sino que además suele experimentar la emoción opuesta. En fin, para no dejarme nada, podría añadir que algunos seres con valores desviados siguen asociando la sexualidad y el amor.

¿Puedes hablarnos de ese ingeniero informático al que llamas «el hombre-red»? ¿Qué representa un personaje así en nuestra realidad contemporánea?

Tenemos que ser conscientes de que los objetos manufacturados del mundo entero –el cemento armado, las bombillas, los vagones de metro, los pañuelos– son objetos concebidos y fabricados por una clase reducida de ingenieros y de técnicos, capaces de imaginar y de poner en funcionamiento los equipos adecuados; ellos son los únicos realmente productivos. Representan, quizás, el 5% de la población activa, y este porcentaje disminuye constantemente. La utilidad social del resto del personal de la empresa –comerciales, publicistas, oficinistas, administrativos, estilistas– es mucho menos evidente: podrían desaparecer sin afectar apenas al proceso de producción. Su papel aparente consiste en producir y manipular diversas clases de información, es decir, diversos calcos de una realidad que no comprenden. Podemos situar en este contexto la explosión actual de las redes de transmisión de la información. Un puñado de técnicos –en Francia, como máximo, cinco mil personas– se encargan de definir los protocolos y la fabricación de los equipos que en los próximos decenios van a permitir la transmisión instantánea, a escala mundial, de cualquier tipo de información: texto, sonido, imagen, y en algún momento estímulos táctiles y electroquímicos. Entre ellos, algunos elaboran un discurso positivo sobre su propia actuación, según el cual el ser humano, concebido como centro productor y transmisor de información, sólo puede encontrar su propia dimensión a través de la interconexión con el máximo posible de centros análogos. Sin embargo, la mayoría no elabora discursos; se conforma con hacer su trabajo. Y así encarnan plenamente el ideal técnico que guía el movimiento histórico de las sociedades occidentales desde fines de la Edad Media, y que puede resumirse en una frase: «Si es técnicamente posible, la técnica lo hará.»

Se puede hacer una primera lectura psicológica de tu novela, pero lo que más se recuerda después es su carácter sociológico. ¿Se trata de una obra con ambiciones más científicas que literarias?

Eso sería ir demasiado lejos. De adolescente me fascinaba la ciencia, sobre todo los nuevos conceptos que desarrollaba la mecánica cuántica; pero todavía no he abordado de verdad estos temas en mis libros; supongo que las condiciones reales de supervivencia en el mundo me han tenido demasiado ocupado. De todas formas, me sorprende un poco oír que hago buenos retratos psicológicos de los individuos, de los personajes: puede que sea verdad; pero, por otra parte, tengo a menudo la impresión de que los individuos son prácticamente idénticos, de que lo que llaman su «yo» no existe en realidad, y que en cierto sentido sería más fácil definir un movimiento histórico. Puede que ahí se vean los primeros efectos de una complementariedad a la manera de Niels Bohr: onda y partícula, posición y velocidad, individuo e historia. A un nivel más literario, siento la fuerte necesidad de dos enfoques complementarios: el patético y el clínico. Por un lado la disección, el análisis frío, el sentido del humor; por otro, la participación emotiva y lírica, de un lirismo inmediato.

A pesar de haber elegido el género narrativo, pareces referirte de forma natural a la poesía.

La poesía es el medio más natural de traducir la intuición pura de un instante. Existe, sí, un núcleo de intuición pura que puede traducirse directamente en imágenes o en palabras. Mientras vivimos en la poesía, vivimos también en la verdad. Los problemas empiezan después, cuando hay que organizar esos fragmentos, establecer una continuidad a la vez razonada y musical. Probablemente mi experiencia con el montaje me ha ayudado mucho en eso.

De hecho, antes de empezar a escribir dirigiste algunos cortometrajes. ¿Cuáles eran tus influencias? ¿Y qué relación hay entre esas imágenes y tus escritos?

Murnau y Dreyer me gustaban mucho; también me gustaba todo lo que se ha dado en llamar expresionismo alemán, aunque la referencia pictórica más importante de esas películas fuera el romanticismo y no el expresionismo. Hay un estudio de la inmovilidad fascinada que intenté traducir primero en imágenes, y luego en palabras. Y también hay algo más en el fondo de mí mismo, una especie de sentimiento oceánico. No he conseguido llevarlo a una película; en realidad no he tenido ocasión de intentarlo. Creo que con las palabras he tenido más éxito, a veces, en algunos poemas. Pero estoy seguro de que en algún momento tendré que volver a las imágenes.

¿Considerarías una adaptación cinematográfica de tu novela?

Sí, sin duda. En realidad es un guión bastante parecido a *Taxi Driver;* pero habría que cambiar todo el aspecto visual. Nada que ver con Nueva York: el decorado de la película estaría compuesto, sobre todo, de cristal, de acero, de superficies reflectantes. Oficinas abiertas, pantallas; un universo de ciudad nueva, con una circulación eficaz y lograda. A la vez, la sexualidad, en este libro, es una sucesión de fracasos. Habría que evitar, sobre todo, cualquier magnificación erótica; filmar el agotamiento, la masturbación, el vómito. Pero todo esto en un mundo transparente, abigarrado, alegre. También se podrían introducir, por una vez, diagramas y representaciones gráficas: tasa de hormonas sexuales en la sangre, salario en kilofrancos... No hay que vacilar en ser teórico; hay que atacar en todos los frentes. La sobredosis de teoría produce un extraño dinamismo.

Sueles describir tu pesimismo como si sólo fuera una etapa. ¿Qué crees que vendrá después?

Me gustaría escapar de la presencia obsesiva del mundo moderno; entrar en un universo tipo *Mary Poppins,* donde todo va bien. No sé si lo conseguiré. También es difícil pronunciarse sobre la evolución general de las cosas. Teniendo en cuenta el sistema socioeconómico actual, teniendo en cuenta, sobre todo, nuestros presupuestos filosóficos, es evidente que el ser humano se precipita a corto plazo y en condiciones terribles hacia una catástrofe. De hecho, ya la tenemos encima. Las consecuencias lógicas del individualismo son el crimen y la desdicha. Llama la atención el entusiasmo que nos anima a perdernos; es de lo más curioso. Por ejemplo, sorprende ver la alegre despreocupación con la que se acaba de desbancar al psicoanálisis para sustituirlo por una lectura reduccionista del ser humano basada en hormonas y neurotransmisores. La disolución progresiva, en el curso de los siglos, de las estructuras sociales y familiares; la tendencia creciente de los individuos a considerarse partículas aisladas, sometidas a la ley de los choques, compuestos provisionales de partículas más pequeñas..., todo eso impide que se pueda aplicar ninguna solución política. Así que es legítimo empezar por desmontar las fuentes de huero optimismo. Si volvemos a un análisis más filosófico de las cosas, nos damos cuenta de que la situación es todavía más rara de lo que creíamos. Vamos hacia el desastre, guiados por una imagen falsa del mundo; y nadie lo sabe. Ni siquiera los neuroquímicos parecen darse cuenta de que su disciplina se mueve sobre un campo minado. Antes o después abordarán las bases moleculares de la conciencia; y entonces se darán de bruces con los modos de pensamiento derivados de la física cuántica. No nos libraremos de una redefinición de las condiciones del conocimiento, de la noción misma de realidad; tendríamos que tomar conciencia de todo esto, a nivel afectivo, desde este mismo momento. En cualquier caso, mientras insistamos en una visión mecanicista e individualista del mundo, seguiremos muriendo. No me parece sensato empeñarse durante más tiempo en el sufrimiento y en el mal. Hace cinco siglos que la idea del yo domina el mundo; ya es hora de tomar otro camino.

Carta a Lakis Proguidis

En el número 9 de L'atelier du roman, *Lakis Proguidis se preguntaba por la relación entre la poesía y la novela, sobre todo a través de mis escritos. Esta «respuesta» apareció en el número 10 (primavera de 1997).*

Mi querido Lakis:

Desde que nos conocemos, veo que te inquieta esta afición extraña (¿compulsiva?, ¿masoquista?) que muestro, a intervalos regulares, por la poesía. Te das cuenta de los inconvenientes: preocupación de los editores, perplejidad de la crítica; añadiré, para no dejarme nada, que desde que tengo éxito como novelista, irrito a los poetas. Te preguntas, y me parece legítimo, por una manía que cultivo con tanta obstinación; estas preguntas terminaron por originar un artículo que apareció en el número 9 de *L'atelier du roman*. Lo diré con toda claridad: la seriedad y la profundidad de ese artículo me impresionaron. Después de leerlo, se me hizo difícil seguir escurriendo el bulto; a mi vez, tenía que intentar explicar todo lo que me planteas.

La idea de una historia literaria separada de la historia humana general me parece muy poco operativa (y añadiré que la democratización del saber la vuelve cada vez más artificial). Así que lo que me va a llevar a apoyarme, en las próximas páginas, en ámbitos extraliterarios del saber, no es ni la provocación ni el capricho. No hay duda de que el siglo XX se recordará como la época del triunfo en la mente del gran público de una explicación científica del mundo, que ese público supone asociada a una ontología materialista y al principio de determinismo local. Por ejemplo, la explicación de los comportamientos humanos mediante una breve lista de parámetros numéricos (sobre todo, concentraciones de hormonas y de neurotransmisores) gana terreno cada día. En lo referente a estos asuntos, es evidente que el novelista forma parte del gran público. Si es honrado, la construcción de un personaje narrativo tiene que parecerle un ejercicio un poco formal e inútil; en resumidas cuentas, una ficha técnica sería más que suficiente. Es difícil decirlo, pero creo que la noción de personaje narrativo presupone la existencia no diré de un alma, pero al menos de cierta *profundidad psicológica.* Como mínimo, debemos reconocer que durante mucho tiempo se consideró que una de las especialidades del novelista era la exploración progresiva de una psicología, y que esta reducción radical de sus capacidades sólo puede llevarle a cierta vacilación sobre si sus esfuerzos están bien fundados.

Y quizás haya algo más grave todavía: como demuestran con claridad los ejemplos de Dostoievski y Thomas Mann, la novela es un lugar natural para la expresión de debates o desgarramientos filosóficos. Es un eufemismo decir que el triunfo del cientificismo restringe peligrosamente el espacio de esos debates o la amplitud de esos desgarramientos. Cuando nuestros contemporáneos quieren aclaraciones sobre la naturaleza del mundo, ya no se dirigen a los filósofos o a los pensadores surgidos de las «ciencias humanas», a quienes suelen considerar peleles anodinos; se sumergen en Stephen Hawking, en Jean-Didier Vincent o en Trinh Xuan Thuan. La moda limitada de las discusiones de café, el éxito más masivo de la astrología o de la videncia, me parecen como mucho reacciones compensatorias, vagamente esquizofrénicas, a la difusión, que se considera inexorable, de la visión científica del mundo.

En estas condiciones, la novela, prisionera de un sofocante estudio de comportamientos, termina volviendo a su última, su única tabla de salvación: la «escritura» (ya no se utiliza apenas la palabra «estilo»: no es lo bastante impresionante, le falta misterio). En resumen, por una parte tenemos la ciencia, lo serio, el conocimiento, lo real. Por la otra, la literatura, su gratuidad, su elegancia, sus juegos formales; la producción de «textos», pequeños objetos lúdicos, comentables gracias a la añadidura de unos prefijos (para, meta, inter). ¿El contenido de estos textos? No es sano, no es lícito, incluso es imprudente hablar de él.

Este espectáculo tiene un lado triste. Personalmente, nunca he podido asistir sin que se me encoja el corazón al derroche de técnicas de tal o cual «formalista Minuit» para un resultado final tan pobre. Para aguantar, me he repetido a menudo una frase de Schopenhauer: «La primera –y casi la única– condición de un buen estilo es tener algo que decir.» Con su brutalidad característica, esta frase puede ayudar. Por ejemplo, en una conversación literaria, ya se sabe que cuando alguien pronuncia la palabra «escritura» ha llegado el momento de relajarse un poco. De mirar alrededor, de pedir otra cerveza.

¿Qué relación tiene todo esto con la poesía? Aparentemente, ninguna. Al contrario, a primera vista la poesía parece todavía más contaminada por esa estúpida idea de que la literatura es un trabajo sobre el lenguaje cuyo objetivo es producir una escritura. Circunstancia agravante: la poesía es especialmente sensible a las condiciones formales de su ejercicio (por ejemplo, Georges Perec consiguió llegar a ser un gran escritor a pesar del Oulipo; no conozco a ningún poeta que se haya resistido al letrismo). Sin embargo, hay que decir que la desaparición del personaje no le concierne en lo más mínimo; que el debate filosófico –o cualquier otro, en realidad– nunca ha sido su lugar natural. Por lo tanto, conserva intactas la mayoría de sus capacidades; a condición, claro, de que acceda a utilizarlas.

Me parece interesante que cites a Christian Bobin hablando de mí, aunque sólo sea para subrayar lo que me separa de ese amable idólatra (lo que me molesta de él, por otra parte, no es tanto su admiración ante los «humildes objetos del mundo creado por Dios», como la impresión que provoca constantemente de admirarse ante su propia admiración). También habrías podido, bajando unos cuantos grados en la escala del horror, citar al inseguro Coelho. No tengo intención de esquivar la confrontación con estos desagradables corolarios de mi elección: despertar las fuerzas dormidas de la expresión poética. A la poesía, en cuanto intenta hablar del mundo, se la acusa con gran facilidad de tendencias metafísicas o místicas por un motivo muy simple: entre el reduccionismo mecanicista y las tonterías *New Age*, ya no hay nada. Nada. Una pavorosa nada intelectual, un desierto total.

El siglo XX será recordado también como la época paradójica en la que los físicos refutaron el materialismo, renunciaron al determinismo local y, en resumen, abandonaron completamente esa ontología de objetos y de propiedades que al mismo tiempo se difundía entre el gran público como el elemento constitutivo de una visión científica del mundo. En ese número 9 (definitivamente magnífico) de *L'atelier du roman* se evoca la entrañable figura de Michel Lacroix. He leído y releído atentamente su última obra, *L'idéologie du New Age*. Y he sacado una conclusión muy clara: no tiene la menor posibilidad de ganar la batalla que ha decidido librar. La *New Age*, que se origina en el insoportable sufrimiento engendrado por la dislocación social, solidaria desde el principio con los nuevos medios de comunicación, es infinitamente más poderosa de lo que la gente imagina. Lacroix tiene razón al señalarlo. También la tiene cuando dice que el pensamiento *New Age* es mucho más que un *remix* de viejas charlatanerías: en efecto, fue el primero que asumió para su provecho los cambios recientes en el pensamiento científico (estudio de los sistemas globales como no reducibles a la suma de sus elementos; demostración de la inseparabilidad cuántica). En lugar de dirigir sus ataques contra este flanco (el más frágil del pensamiento *New Age;* porque, a fin de cuentas, los cambios ocurridos se adaptarían tanto a un positivismo integral como a una ontología a la manera de Bohm), Michel Lacroix se conforma con enumerar unas quejas tan variadas como conmovedoras, testimonio de una fidelidad infantil al pensamiento de la alteridad, a la herencia de la civilización griega y la judeocristiana. Con argumentos así no tiene la menor posibilidad de enfrentarse con éxito al bulldozer holístico.

Pero lo cierto es que yo tampoco lo he hecho mejor. Eso es lo que me molesta: intelectualmente, me siento incapaz de llegar más lejos. No obstante, tengo la intuición de que la poesía tiene un papel que desempeñar; quizás como una especie de precursor químico. La poesía no sólo precede a la novela; también, y de forma más directa, a la filosofía. Platón dejó a los poetas a las puertas de su famosa ciudad porque *ya* no los necesitaba (y puesto que eran inútiles, no tardarían en volverse peligrosos). A lo mejor, en el fondo y sobre todo, yo escribo poemas para hacer hincapié en una carencia monstruosa y general (que se puede considerar afectiva, social, religiosa, metafísica; y cada una de estas aproximaciones es igualmente cierta). También, quizás, porque la poesía es la única manera de expresar esa carencia en estado puro, en estado original; y de expresar simultáneamente cada uno de sus aspectos complementarios. Y tal vez sea para dejarnos este mensaje mínimo: «Alguien, a mitad de la década de 1990, sintió agudamente el surgimiento de una carencia monstruosa y general; como no fue capaz de dar cuenta con claridad del fenómeno, nos dejó algunos poemas en testimonio de su incompetencia.»

Aproximaciones al desarraigo

«Lucho contra ideas de cuya existencia ni siquiera estoy seguro.»

ANTOINE WAECHTER

La versión definitiva de este texto apareció en Dix *(Les Inrockuptibles/Grasset, 1997).*

La arquitectura contemporánea como vector de aceleración de los desplazamientos

Ya se sabe que al gran público no le gusta el arte contemporáneo. Esta afirmación trivial abarca, en realidad, dos actitudes opuestas. Si cruza por casualidad un lugar donde se exponen obras de pintura o escultura contemporáneas, el transeúnte normal se detiene ante ellas, aunque sólo sea para burlarse. Su actitud oscila entre la ironía divertida y la risa socarrona; en cualquier caso, es sensible a cierta dimensión de *burla;* la insignificancia misma de lo que tiene delante es, para él, una tranquilizadora prueba de inocuidad; sí, ha *perdido el tiempo;* pero, en el fondo, no de un modo tan desagradable.

Ese mismo transeúnte, en una arquitectura contemporánea, tendrá muchas menos ganas de reírse. En condiciones favorables (a altas horas de la noche, o con un fondo de sirenas de policías) se observa un fenómeno claramente caracterizado por la *angustia*, con aceleración de todas las secreciones orgánicas. En cualquier caso, las revoluciones del motor funcional constituido por los órganos de la visión y los miembros locomotores aumentan rápidamente.

Así ocurre cuando un autobús de turistas, perdido entre las redes de una exótica señalización, suelta su cargamento en la zona bancaria de Segovia, o en el centro de negocios de Barcelona. Adentrándose en su universo habitual de acero, cristal y señales, los visitantes adoptan enseguida el paso rápido, la mirada funcional y dirigida que corresponden al entorno propuesto. Avanzan entre pictogramas y letreros, y no tardan mucho en llegar al barrio de la catedral, el corazón histórico de la ciudad. En ese momento aminoran el paso; el movimiento de los ojos se vuelve aleatorio, casi errático. En sus caras se lee cierta estupefacción alelada (fenómeno de la boca abierta, típico de los norteamericanos). Es obvio que se encuentran delante de objetos visuales fuera de lo corriente, complejos, que les resulta difícil descifrar. Sin embargo, pronto aparecen mensajes en las paredes; gracias a la oficina de turismo, las referencias histórico-culturales vuelven a ocupar su lugar; los viajeros pueden sacar las cámaras de vídeo para inscribir el recuerdo de sus desplazamientos en un recorrido cultural *dirigido*.

La arquitectura contemporánea es *modesta;* sólo manifiesta su presencia autónoma, su presencia como arquitectura, mediante *guiños* discretos; en general, micromensajes publicitarios sobre sus propias técnicas de fabricación (por ejemplo, es habitual que la maquinaria del ascensor, así como el nombre de la empresa responsable, esté muy a la vista).

La arquitectura contemporánea es *funcional;* hace mucho tiempo que la fórmula «Lo que es funcional es obligatoriamente bello» erradicó las cuestiones estéticas que tienen que ver con la arquitectura. Una idea preconcebida sorprendente, que el espectáculo de la naturaleza no deja de contradecir, incitando a ver la belleza más bien como una especie de *revancha contra la razón*. A menudo, la vista se complace en las formas de la naturaleza precisamente porque no sirven para nada, porque no responden a ningún criterio perceptible de eficacia. Se reproducen con exuberancia, con abundancia, movidas en apariencia por una fuerza interna que puede calificarse de puro deseo de ser, de reproducirse; una fuerza, a decir verdad, poco comprensible (basta pensar en la inventiva burlesca y algo repugnante del mundo animal); una fuerza de una evidencia no por ello menos deslumbrante. Es cierto que algunas formas de la naturaleza inanimada (los cristales, las nubes, las redes hidrográficas) parecen obedecer a un criterio de perfección termodinámica; pero son justamente las más complejas, las más ramificadas. No recuerdan en nada el funcionamiento de una máquina racional, sino más bien la efervescencia caótica de un *proceso*.

La arquitectura contemporánea, que alcanza su nivel máximo en la constitución de lugares tan funcionales que se vuelven invisibles, es *transparente*. Puesto que debe permitir la circulación rápida de individuos y mercancías, tiende a reducir el espacio a su dimensión puramente geométrica. Destinada a ser atravesada por una sucesión ininterrumpida de mensajes textuales, visuales e icónicos, tiene que asegurarles la máxima legibilidad (sólo un lugar absolutamente transparente puede asegurar una conductibilidad total de la información). Sometidos a la dura ley del consenso, los únicos mensajes permanentes que permite están limitados a un papel de información objetiva. El contenido de esos inmensos carteles que bordean las carreteras es objeto de un detallado estudio previo. Se llevan a cabo numerosos sondeos para no chocar con tal o cual categoría de usuarios; se consulta con psicosociólogos y con especialistas de seguridad vial: todo eso para llegar a letreros del tipo «Auxerre» o «Les lacs».

La estación de Montparnasse tiene una arquitectura transparente y desprovista de misterio, establece una distancia necesaria y suficiente entre las pantallas de información horaria y los puntos electrónicos de reserva de billetes, organiza con una redundancia adecuada la señalización que lleva a las vías de llegadas y salidas; así permite al individuo occidental de inteligencia media o superior llevar a cabo su desplazamiento con un mínimo de contactos, incertidumbre o pérdida de tiempo. Generalizando un poco más, toda la arquitectura contemporánea debe ser considerada como un enorme dispositivo de aceleración y de racionalización de los desplazamientos humanos; su ideal, en este aspecto, sería el sistema intercambiador de autopistas que hay cerca de Fontainebleau-Melun Sud.

Del mismo modo, el conjunto arquitectónico que recibe el nombre de La Défense puede leerse como un puro dispositivo productivista, un dispositivo de aumento de la producción individual. Por localmente exacta que sea esta visión paranoide, es incapaz de dar cuenta de la uniformidad de las respuestas arquitectónicas propuestas para cubrir las diversas necesidades sociales (hipermercados, clubs nocturnos, edificios de oficinas, centros culturales y deportivos). Sin embargo, podemos progresar si consideramos que no sólo vivimos en una economía de mercado, sino, de forma más general, en una *sociedad de mercado*, es decir, en un espacio de civilización donde el conjunto de las relaciones humanas, así como el conjunto de las relaciones del hombre con el mundo, está mediatizado por un cálculo numérico simple donde intervienen el atractivo, la novedad y la relación calidad-precio. Esta lógica, que abarca tanto las relaciones eróticas, amorosas o profesionales como los comportamientos de compra propiamente dichos, trata de facilitar la instauración múltiple de tratos relacionales renovados con rapidez (entre consumidores y productos, entre empleados y empresas, entre amantes), para así promover una fluidez consumista basada en una ética de la responsabilidad, de la transparencia y de la libertad de elección.

Construir las secciones

La arquitectura contemporánea, por lo tanto, asume implícitamente un programa simple, que puede resumirse así: *construir las secciones del hipermercado social.* Lo consigue, por una parte, manifestando una fidelidad absoluta a la estética del casillero, y por otra, privilegiando el uso de materiales de granulometría débil o nula (metal, vidrio, materias plásticas). El empleo de superficies reflectantes o transparentes permite, además, una agradable desmultiplicación de estantes. En cualquier caso, se trata de crear espacios polimorfos, indiferentes, modulables (por otra parte, el mismo proceso afecta a la decoración de interiores: habilitar un apartamento en este fin de siglo es, en esencia, tirar las paredes, sustituirlas por tabiques móviles –que se moverán poco, porque no hay motivos para moverlos; pero lo principal es que exista la posibilidad de desplazamiento, que se cree un grado suplementario de libertad– y suprimir los elementos fijos de decoración: las paredes tienen que ser blancas, los muebles translúcidos). Se trata de crear espacios neutros donde puedan desplegarse libremente los mensajes informativo-publicitarios generados por el funcionamiento social, que además lo constituyen. Porque ¿qué producen esos empleados y directivos reunidos en La Défense? Hablando con propiedad, nada; de hecho, el proceso de producción material se ha vuelto, para ellos, absolutamente opaco. Se les transmite información numérica sobre los objetos del mundo. Esta información es la materia prima de estadísticas y cálculos; se elaboran modelos, se producen gráficos de decisión; al final de la cadena se toman decisiones y se reinyectan nuevas informaciones en el cuerpo social. La carne del mundo es sustituida por su imagen numerizada; el ser de las cosas es suplantado por el gráfico de sus variaciones. Polivalentes, neutros y modulares, los lugares modernos se adaptan a la infinidad de mensajes a los que deben servir de soporte. No pueden permitirse emitir un significado autónomo, evocar una atmósfera concreta; por lo tanto, no pueden tener belleza, ni poesía; ni, en general, el menor carácter propio. Despojados de cualquier carácter individual y permanente, y con esta condición, están preparados para acoger la pulsación indefinida de lo transitorio.

Móviles, dispuestos a la trasformación, disponibles, los empleados modernos sufren un proceso análogo de despersonalización. Las técnicas de aprendizaje del cambio popularizadas por los talleres *New Age* se proponen crear individuos infinitamente mutables, desprovistos de cualquier rigidez intelectual o emocional. Liberado de los estorbos constituidos por las adhesiones, las fidelidades, los códigos de comportamiento estrictos, el individuo moderno podría ocupar su lugar en un sistema de transacciones generalizadas en el cual es posible atribuirle, de forma unívoca y sin ambigüedad, un *valor de cambio*.

Simplificar los cálculos

La progresiva numerización del funcionamiento microsociológico, muy avanzada en Estados Unidos, se retrasó notablemente en Europa occidental, como demuestran, por ejemplo, las novelas de Marcel Proust. Fueron necesarios varios decenios para saldar los significados simbólicos sobreañadidos a las diferentes profesiones, ya fueran laudatorios (Iglesia, enseñanza) o peyorativos (publicidad, prostitución). Al término de este proceso de decantación, fue posible establecer una jerarquía precisa entre los estatutos sociales basándose en dos criterios numéricos simples: los ingresos anuales y el número de horas trabajadas.

En el ámbito amoroso, también los parámetros del intercambio sexual habían sido tributarios durante mucho tiempo de un sistema de descripción lírica, impresionista, poco fiable. Y otra vez llegó de Estados Unidos la primera tentativa seria de definición de tipos. Basada en criterios simples y objetivamente verificables (edad, altura, peso, medidas caderas-cintura-pecho en las mujeres; edad, altura, peso, medidas del sexo en erección en los hombres), al principio fue popularizada a través de la industria porno, que pronto pasó el testigo a las revistas femeninas. Si bien la jerarquía económica simplificada fue objeto durante mucho tiempo de oposiciones esporádicas (movimientos a favor de la «justicia social»), la jerarquía erótica, que parecía más natural, fue interiorizada rápidamente y consiguió desde el principio un amplio consenso.

Desde entonces, capaces de definirse a sí mismos mediante unos pocos parámetros numéricos, liberados de las ideas sobre el Ser que habían obstaculizado durante mucho tiempo la fluidez de sus movimientos mentales, los seres humanos occidentales –por lo menos los más jóvenes– pudieron adaptarse a los cambios tecnológicos que se producían en sus sociedades, cambios que conllevaban a su vez grandes transformaciones económicas, psicológicas y sociales.

Una breve historia de la información

Hacia fines de la Segunda Guerra Mundial, la simulación de las trayectorias de misiles de medio y largo alcance, así como la modelización de las reacciones de fisión dentro del núcleo atómico, generaron la necesidad de medios de cálculo algorítmicos y numéricos de mayor potencia. Gracias, en parte, a los trabajos teóricos de John von Neumann, aparecieron los primeros ordenadores.

En esa época, el trabajo de oficina se caracterizaba por una estandarización y una racionalización menos avanzadas que las que dominaban la producción industrial. La aplicación de los primeros ordenadores a las tareas de gestión se tradujo de inmediato en la desaparición de la libertad y la flexibilidad a la hora de poner en práctica los procedimientos; en resumen, en una proletarización brutal de la clase de los empleados.

En esos mismos años, con un cómico retraso, la literatura europea se enfrentó a una nueva herramienta: la *máquina de escribir*. El trabajo indefinido y múltiple sobre el manuscrito (con sus añadidos, llamadas y apostillas) desapareció en beneficio de una escritura más lineal y anodina; de hecho, se siguieron las normas de la novela policíaca y del nuevo periodismo norteamericanos (aparición del mito Underwood; éxito de Hemingway). Esta degradación de la imagen de la literatura llevó a muchos jóvenes dotados de un temperamento «creativo» a dirigirse a las vías, más gratificantes, del cine y la canción (vías muertas, finalmente; la industria norteamericana del entretenimiento comenzaría poco después a destruir las industrias de entretenimiento locales; un trabajo que ahora estamos viendo rematar).

La repentina aparición del ordenador personal, a principios de la década de los ochenta, puede parecer una especie de accidente histórico; no corresponde a ninguna necesidad económica y es inexplicable si dejamos a un lado consideraciones como los avances en la regulación de las corrientes débiles y el grabado fino del silicio. De manera inesperada, los empleados y ejecutivos de nivel medio se encontraron en posesión de una poderosa herramienta, de fácil uso, que les permitía recuperar el control –de hecho, si no de derecho– de los principales elementos de su trabajo. Durante varios años se libró una lucha sorda y poco conocida entre las empresas de informática y los usuarios «de base», a veces respaldados por equipos de informáticos apasionados. Lo más sorprendente es que poco a poco, tomando conciencia del coste y de la baja eficacia de la macroinformática, mientras que la producción en serie permitía la aparición de materiales y de programas burocráticos fiables y baratos, las empresas se pasaron al campo de la microinformática.

Para los escritores, el ordenador personal fue una liberación inesperada: se perdía la soltura y el encanto del manuscrito, pero por lo menos era posible dedicarse a un trabajo serio sobre un texto. En esos mismos años, diversas estadísticas hicieron creer que la literatura podía recuperar parte de su prestigio anterior; menos por méritos propios, eso sí, que por la autodisolución de actividades rivales. El rock y el cine, sometidos al enorme poder de nivelación de la televisión, perdieron poco a poco su magia. Las antiguas distinciones entre películas, videoclips, informativos, publicidad, testimonios humanos o reportajes empezaron a desaparecer en provecho de una noción de espectáculo generalizado.

La aparición de las fibras ópticas y el acuerdo industrial sobre el protocolo TCP-IP,[1] permitieron, a principios de la década de los noventa, la aparición de redes intra y, más tarde, interempresariales. Convertido en una simple estación de trabajo en el seno de unos sistemas cliente-servidor de mayor fiabilidad, el ordenador personal perdió cualquier capacidad de tratamiento autónomo. De hecho, se produjo una normalización de los procedimientos den-

1. Protocolo que permite la conexión en red. *(N. de la T.)*

tro de unos sistemas de tratamiento de la información más móviles, más transversales, más eficaces.

Omnipresentes en las empresas, los ordenadores personales habían fracasado en el mercado doméstico por motivos que más tarde se analizarían claramente (precio todavía elevado, carencia de utilidad real, dificultad de utilización si el usuario está tumbado). A fines de la década de los noventa aparecieron los primeros terminales pasivos de acceso a Internet; desprovistos, en sí mismos, tanto de inteligencia como de memoria, y por lo tanto con un coste de producción unitaria muy bajo, estaban concebidos para permitir el acceso a las gigantescas bases de datos constituidas por la industria norteamericana del entretenimiento. Provistos de un dispositivo de telepago por fin seguro (al menos oficialmente), estéticos y ligeros, se impusieron con rapidez, sustituyendo a la vez al teléfono móvil, al Minitel y al mando a distancia de los televisores clásicos.

Inesperadamente, el libro se convirtió en un vivo foco de resistencia. Hubo tentativas de almacenamiento de obras en servidores de Internet; el éxito sigue siendo confidencial y limitado a las enciclopedias y las obras de referencia. Al cabo de unos años, la industria tuvo que reconocer que el objeto libro, más práctico, atractivo y manejable, conservaba el favor del público. Ahora bien, cada libro, una vez comprado, se convertía en un temible instrumento de desconexión. En la química íntima del cerebro, la literatura había sido capaz, en el pasado, de ganarle a menudo la carrera al universo real; no tenía nada que temer de los universos virtuales. Así empezó un período paradójico, que todavía dura, en el que la globalización del entretenimiento y de los intercambios –en los que el lenguaje articulado ocupa un reducido espacio– iba a la par con un resurgimiento de las lenguas vernáculas y de las culturas locales.

La aparición del hastío

A nivel político, la oposición al liberalismo económico globalista comenzó mucho antes; su acta de fundación fue la campaña a favor del No en el referéndum de Maastricht que se llevó a cabo en Francia en 1992. Esta campaña no se apoyaba tanto en la referencia a una identidad nacional o a un patriotismo republicano –ambos desaparecidos en las carnicerías de Verdún, en 1916 y 1917– como en un auténtico hastío general, un sentimiento de rechazo puro y simple. Como todos los historicismos que lo precedieron, el liberalismo intentaba intimidar presentándose como un devenir histórico inexorable. Como todos los historicismos que lo precedieron, el liberalismo se presentaba como asunción y superación del *sentimiento ético simple* en nombre de una visión a largo plazo del *devenir histórico de la humanidad.* Como todos los historicismos que lo precedieron, el liberalismo prometía por el momento esfuerzos y sufrimiento, relegando a una o dos generaciones de distancia el advenimiento del bien general. Un modo semejante de razonamiento ya había ocasionado suficientes estragos a lo largo de todo el siglo XX.

Desafortunadamente, la perversión de la idea de progreso que llevan a cabo con regularidad los historicismos iba a favorecer la aparición de *pensamientos burlescos*, típicos de las épocas de desarraigo. Inspirados a menudo en Heráclito o en Nietzsche, bien adaptados a los ingresos medios y altos, con una estética a veces divertida, parecían encontrar confirmación en la proliferación, entre las capas menos favorecidas de la población, de reflejos de identidad múltiples, imprevisibles y violentos. Ciertas avanzadas en la teoría matemática de las turbulencias indujeron a representar la historia humana, cada vez con más frecuencia, en forma de sistema caótico, en el que los futurólogos y los pensadores mediáticos se las ingeniaban para descubrir uno o varios *atractores extraños*.[1] A pesar de no tener una base metodológica, esta analogía ganó terreno entre las clases cultas o semicultas, impidiendo durante mucho tiempo la constitución de una nueva ontología.

El mundo como supermercado y como burla

Arthur Schopenhauer no creía en la Historia. Murió convencido de que la revelación que había hecho sobre el mundo, que por una parte existía como voluntad (como deseo, como impulso vital), y por otra era percibido como representación (neutro, inocente y puramente objetivo en sí, y por lo tanto susceptible de reconstrucción estética), sobreviviría generación tras generación. Ahora podemos decir que, al menos en parte, se equivocaba. Podemos seguir reconociendo en la trama de nuestras vidas los conceptos que puso en juego; pero han sufrido tales transformaciones que cabe preguntarse qué validez les queda.

La palabra «voluntad» parece indicar una tensión de larga duración, un esfuerzo continuo, consciente o no, pero coherente, hacia una meta. Cierto que los pájaros siguen construyendo nidos, que los ciervos siguen luchando por la posesión de las hembras; y en sentido schopenhaueriano podemos decir que, desde el penoso día de su aparición sobre la tierra, el que lucha es el mismo ciervo y la que excava es la misma larva. Pero con los hombres ocurre todo lo contrario. La lógica del supermercado induce for-

1. Concepto matemático que permite representar mediante un gráfico la evolución de un sistema dinámico caótico. Ver «Teoría del caos» y «Geometría fractal». *(N. de la T.)*

zosamente a la dispersión de los sentidos; el hombre de supermercado no puede ser, orgánicamente, un hombre de voluntad única, de un solo deseo. De ahí viene cierta depresión del querer en el hombre contemporáneo; no es que los individuos deseen menos; al contrario, desean cada vez más; pero sus deseos se han teñido de algo un tanto llamativo y chillón; sin ser puros simulacros, son en gran parte un producto de decisiones externas que podemos llamar, en sentido amplio, *publicitarias.* No hay nada en esos deseos que evoque la fuerza orgánica y total, tercamente empeñada en su cumplimiento, que sugiere la palabra «voluntad». De ahí se deriva cierta falta de personalidad, perceptible en todos los seres humanos.

Profundamente infectada por el sentido, la representación ha perdido por completo la inocencia. Podemos llamar *inocente* a una representación que se ofrece simplemente como tal, que sólo pretende ser la imagen de un mundo exterior (real o imaginario, pero exterior); en otras palabras, que no incluye su propio comentario crítico. La introducción masiva en las representaciones de *referencias,* de burla, de *doble sentido*, de humor, ha minado rápidamente la actividad artística y filosófica, transformándola en retórica generalizada. Todo arte, como toda ciencia, es un medio de comunicación entre los hombres. Es evidente que la eficacia y la intensidad de la comunicación disminuyen y tienden a anularse desde el momento en que se instala una duda sobre la veracidad de lo que se dice, sobre la sinceridad de lo que se expresa (¿hay quien pueda imaginar, por ejemplo, una ciencia con *doble sentido?).* La propensión al desmoronamiento que muestra la creatividad en las artes no es sino otra cara de la imposibilidad, tan contemporánea, de la *conversación.* Es como si, en la conversación corriente, la expresión directa de un sentimiento, de una emoción o de una idea se hubiera vuelto imposible, por ser demasiado vulgar. Todo tiene que pasar por el filtro deformante del *humor*, un humor que termina girando en el vacío y convirtiéndose en trágica mudez. Ésta es, a la vez, la historia de la famosa «incomunicabilidad» (hay que subrayar que la explotación repetida de este tema no ha impedido que la incomunicabilidad se extienda en la práctica, y que esté más de moda que nunca, aunque nos hayamos cansado un poco de hablar de ella) y la trágica historia de la pintura del siglo XX. La trayectoria de la pintura ha llegado a representar, más por una semejanza de ambiente que por una relación directa, la trayectoria de la comunicación humana en la época contemporánea. En ambos casos nos adentramos en una atmósfera malsana, trucada, profundamente insignificante; y trágica al final de su insignificancia. Por eso el transeúnte normal que entra en una galería de arte no puede quedarse mucho tiempo si quiere conservar su actitud de irónico desapego. Al cabo de unos minutos, y a su pesar, se apoderaría de él cierta sensación de desarraigo; al menos un entumecimiento, un malestar; una inquietante disminución de su función humorística.

(Lo trágico interviene exactamente en el momento en que lo irrisorio ya no consigue parecer *divertido;* es una especie de inversión psicológica brutal que traduce la aparición de un deseo irreductible de eternidad del individuo. La publicidad sólo puede evitar este fenómeno, opuesto a su objetivo, renovando de forma incesante sus simulacros; pero la pintura conserva la vocación de crear objetos permanentes, dotados de carácter propio; esta nostalgia de ser le otorga su halo doloroso y la convierte, de grado o por fuerza, en un fiel reflejo de la situación espiritual del hombre occidental.)

Hay que señalar, en contraste, la relativa buena salud de la literatura durante el mismo período. Es muy fácil de explicar. La literatura es un arte profundamente conceptual; en realidad, es el único. Las palabras son conceptos; los tópicos son conceptos. Nada puede afirmarse, negarse, relativizarse, de nada se puede uno burlar sin ayuda de los conceptos y las palabras. De ahí la sorprendente robustez de la actividad literaria, que puede negarse, autodestruirse o decretarse imposible sin dejar de ser ella misma. Que resiste a todos los abismos, a todas las deconstrucciones, a todas las acumulaciones de grados, por sutiles que sean; que simplemente se levanta, se sacude y vuelve a estar vivita y coleando, como un perro que sale de un estanque.

Al contrario que la música, que la pintura, incluso que el cine, la literatura puede absorber y digerir cantidades ilimitadas de burla y de humor. Los peligros que actualmente la amenazan no tienen nada que ver con los que han amenazado y a veces destruido a las demás artes; están mucho más relacionados con la aceleración de las percepciones y de las sensaciones que caracteriza a la lógica del hipermercado. Porque un libro sólo puede apreciarse *despacio;* implica una reflexión (no en el sentido de esfuerzo intelectual, sino sobre todo en el de *vuelta atrás*); no hay lectura sin parada, sin movimiento inverso, sin relectura. Algo imposible e incluso absurdo en un mundo donde todo evoluciona, todo fluctúa; donde nada tiene validez permanente: ni las reglas, ni las cosas, ni los seres. La literatura se opone con todas sus fuerzas (que eran grandes) a la noción de actualidad permanente, de presente continuo. Los libros piden lectores; pero estos lectores deben tener una existencia individual y estable: no pueden ser meros consumidores, meros fantasmas; deben ser también, de alguna manera, *sujetos.*

Minados por la obsesión cobarde de lo *politically correct,* pasmados por una marea de pseudoinformación que les proporciona la ilusión de una modificación permanente de las categorías de la existencia *(ya no se puede* pensar lo que se pensaba hace diez, cien o mil años), los occidentales contemporáneos ya no consiguen ser lectores; ya no logran satisfacer la humilde petición de un libro abierto: que sean simplemente seres humanos, que piensen y sientan por sí mismos.

Con mayor motivo, no pueden desempeñar ese papel frente a otro ser. No obstante, tendrían que hacerlo: porque esta disolución del ser es trágica; y cada cual, movido por una dolorosa nostalgia, continúa pidiéndole al otro lo que él ya no puede ser; cada cual sigue buscando, como un fantasma ciego, ese peso del ser que ya no encuentra en sí mismo. Esa resistencia, esa permanencia; esa profundidad. Todo el mundo fracasa, por supuesto, y la soledad es espantosa.

En Occidente, la muerte de Dios fue el preludio de un increíble folletín metafísico, que continúa en nuestros días. Cualquier historiador de las mentalidades sería capaz de reconstruir en detalle sus etapas; para resumir, digamos que el cristianismo consiguió dar ese *golpe maestro* de combinar la fe violenta en el individuo –en comparación con las epístolas de San Pablo, la cultura antigua en conjunto nos parece ahora extrañamente civilizada y triste– con la promesa de la participación eterna en el Ser absoluto. Una vez desvanecido este sueño, hubo diversas tentativas para prometerle al individuo un mínimo de ser; para conciliar el sueño de ser que llevaba en su interior con la omnipresencia obsesiva del devenir. Todas estas tentativas han fracasado hasta el momento, y la desdicha ha seguido extendiéndose.

La publicidad es la última tentativa hasta la fecha. Aunque su objetivo es suscitar, provocar, *ser* el deseo, sus métodos son, en el fondo, bastante semejantes a los que caracterizaban a la antigua moral. La publicidad instaura un superyó duro y terrorífico, mucho más implacable que cualquier otro imperativo antes inventado, que se pega a la piel del individuo y le repite sin parar: «Tienes que desear. Tienes que ser deseable. Tienes que participar en la competición, en la lucha, en la vida del mundo. Si te detienes, dejas de existir. Si te quedas atrás, estás muerto.» Al negar cualquier noción de eternidad, al definirse a sí misma como proceso de renovación permanente, la publicidad intenta hacer que el sujeto se volatilice, se transforme en fantasma obediente del devenir. Y se supone que esta participación epidérmica, superficial, en la vida del mundo, tiene que ocupar el lugar del deseo de ser.

La publicidad fracasa, las depresiones se multiplican, el desarraigo se acentúa; sin embargo, la publicidad sigue construyendo las infraestructuras de recepción de sus mensajes. Sigue perfeccionando medios de desplazamiento para seres que no tienen ningún sitio adonde ir porque no están cómodos en ninguna parte; sigue desarrollando medios de comunicación para seres que ya no tienen nada que decir; sigue facilitando las posibilidades de interacción entre seres que ya no tienen ganas de entablar relación con nadie.

La poesía del movimiento suspendido

En mayo de 1968, yo tenía diez años. Jugaba a las canicas, leía *Pif le Chien;*[1] la buena vida. De los «sucesos del 68» sólo guardo un recuerdo, aunque bastante vivo. En aquella época, mi primo Jean-Pierre estaba en primero, en el liceo de Raincy. El liceo me parecía entonces (después, la experiencia confirmó esta primera intuición, añadién-

1. *El perro Pif,* conocido tebeo francés. *(N. de la T.)*

dole una penosa dimensión sexual) un lugar enorme y espantoso donde los chicos mayores se consagraban con todo su empeño al estudio de materias difíciles para asegurarse un futuro profesional. Un viernes, no sé por qué, fui con mi tía a esperar a mi primo a la salida de clase. Ese mismo día, el liceo de Raincy había empezado una huelga indefinida. El patio, donde yo esperaba encontrar cientos de adolescentes atareados, estaba desierto. Algunos profesores daban vueltas sin rumbo entre las porterías de balonmano. Recuerdo que, mientras mi tía intentaba conseguir alguna información, yo deambulé unos largos minutos por aquel patio. La paz era completa, el silencio absoluto. Fue un momento maravilloso.

En diciembre de 1986 yo estaba en la estación de Avignon, y hacía buen tiempo. Después de una serie de complicaciones sentimentales que sería fastidioso narrar aquí, era absolutamente necesario –o eso creía yo– que tomara el TGV[1] a París. No sabía que la Red de Ferrocarriles Nacionales acababa de iniciar una huelga general. Se rompió de golpe la sucesión operativa de intercambio sexual, aventura y hastío. Pasé dos horas sentado en un banco frente al desierto paisaje ferroviario. Había vagones de TGV inmóviles en las vías muertas. Parecía que llevaban allí años, o que jamás se habían movido. Los viajeros se pasaban información en voz baja; había un ambiente de resignación, de incertidumbre. Podría haber sido la guerra, o el fin del mundo occidental.

Algunos testigos más directos de los «sucesos del 68» me contaron que fue un período maravilloso, que la gente se hablaba en la calle, que todo parecía posible; lo creo. Otros dicen, simplemente, que los trenes dejaron de circular, que no había gasolina; lo admito. Veo un rasgo co-

1. Tren de Alta Velocidad. *(N. de la T.)*

mún en todos estos testimonios: durante unos días, mágicamente, una máquina gigantesca y opresora dejó de funcionar. Hubo una flotación, una incertidumbre; todo quedó en suspenso, y cierta calma se extendió por el país. Por supuesto, poco después la máquina social volvió a girar aún más deprisa, de un modo todavía más implacable (y mayo del 68 sólo sirvió para romper las pocas reglas morales que hasta entonces entorpecían la voracidad de su funcionamiento). Pero a pesar de todo hubo un momento de interrupción, de vacilación; un instante de incertidumbre metafísica.

No cabe duda de que, por esas mismas razones, la reacción del público frente a una súbita interrupción de las redes de transmisión de la información, una vez superado el primer momento de contrariedad, está lejos de ser completamente negativa. Se puede observar el fenómeno cada vez que un sistema de almacenamiento informático se avería (es bastante corriente): una vez admitido el inconveniente, y sobre todo en cuanto los empleados se deciden a utilizar el teléfono, lo que sienten los usuarios es, más bien, una secreta alegría; como si el destino les brindara la oportunidad de tomarse una revancha solapada contra la tecnología. Igualmente, para darse cuenta de lo que el público piensa en el fondo de la arquitectura en la que le obligan a vivir, basta observar su reacción cuando alguien se decide a volar una de esas torres con agujeros construidas en el extrarradio en la década de los sesenta: un momento de alegría pura y muy violenta, parecida a la embriaguez de una inesperada liberación. El espíritu que habita lugares así es malvado, inhumano, hostil; es el espíritu de un engranaje agotador, cruel, en constante aceleración; todo el mundo lo sabe, en el fondo, y anhela su destrucción.

La literatura puede con todo, se adapta a todo, escarba en la basura, lame las heridas de la infelicidad. Por eso fue posible que una poesía paradójica, de la angustia y de la opresión, naciera en medio de los hipermercados y de los edificios de oficinas. No es una poesía alegre; no puede serlo. La poesía moderna ya no aspira a construir una hipotética «casa del ser», del mismo modo que la arquitectura moderna no aspira a construir lugares habitables; sería una tarea muy diferente de la que consiste en multiplicar las infraestructuras de circulación y de tratamiento de la información. La información, producto residual de la no permanencia, se opone al significado como el plasma al cristal; una sociedad que alcanza un grado de sobrecalentamiento no siempre implosiona, pero se muestra incapaz de generar un significado, ya que toda su energía está monopolizada por la descripción informativa de sus variaciones aleatorias. Sin embargo, cada individuo es capaz de producir en sí mismo una especie de *revolución fría*, situándose por un instante fuera del flujo informativo-publicitario. Es muy fácil de hacer; de hecho, nunca ha sido tan fácil como ahora situarse en una *posición estética* con relación al mundo: basta con dar un paso a un lado. Y, en última instancia, incluso este paso es inútil. Basta con hacer una pausa; apagar la radio, desenchufar el televisor; no comprar nada, no desear comprar. Basta con dejar de participar, dejar de saber; suspender temporalmente cualquier actividad mental. Basta, literalmente, con quedarse inmóvil unos segundos.

El arte como mondadura

Texto aparecido en la sección «Le carnet à spiral» de Les Inrockuptibles *(número 5, 1995).*

Lunes, Escuela de Arte de Caen. Me habían pedido que explicara por qué la bondad me parece más importante que la inteligencia o el talento. He hecho lo que he podido, y no me ha resultado fácil; pero sé que era verdad. Después he visitado el taller de Rachel Poignant, que utiliza vaciados de distintas partes de su cuerpo. Me he quedado parado delante de unas largas correas cubiertas con el vaciado de una de sus tetas (¿la derecha?, ¿la izquierda? No tengo ni idea). Por la consistencia, como de goma, y por el aspecto, la cosa recordaba, francamente, los tentáculos de un pulpo. Sin embargo, he dormido bastante bien.

Miércoles, Escuela de Arte de Avignon; un «día del fracaso» organizado por Arnaud Labelle-Rojoux. Yo tenía que hablar del fracaso sexual. Todo ha empezado casi alegremente, con una proyección de cortometrajes reunidos bajo el título *Películas sin cualidades;* unos hilarantes, otros extraños, a veces ambas cosas (creo que el rollo circula por diversos centros de arte; sería una pena perdérselo). Después he visto un vídeo de Jacques Lizène. Está obsesionado con la miseria sexual. Su sexo sobresalía de un agujero en una placa de contrachapado; tenía alrededor un nudo corredizo hecho con un cordel que servía para accionarlo.

Lo agitaba mucho rato, a sacudidas, como si fuera una marioneta floja. Yo estaba muy incómodo. Esa atmósfera de descomposición, de fracaso triste que acompaña al arte contemporáneo, acaba por hacerle a uno un nudo en la garganta; y se echa de menos a Joseph Beuys con sus propuestas llenas de generosidad. Aun así, el testimonio sobre nuestra época que implican cosas como ésta es de una precisión que le deja a uno impresionado. He pensado en eso durante toda la tarde, y no he podido escapar de esta conclusión: el arte contemporáneo me deprime; pero me doy cuenta de que representa, con mucho, el mejor comentario reciente sobre el estado de las cosas. He soñado con bolsas de basura rebosando de filtros de café, de mondaduras, de trozos de carne en salsa. He pensado en el arte como mondadura, y en los pedazos de sustancia que se quedan pegados a las mondaduras.

Sábado, encuentro literario en el norte de la Vendée. Algunos escritores «regionalistas de derechas» (se sabe que son de derechas porque, cuando hablan de sus orígenes, les encanta mencionar a un antepasado judío de hace cuatro generaciones; así todo el mundo puede comprobar su mentalidad abierta). Por lo demás, como en todas partes, un público muy variopinto; lo único en común es la lectura. Esta gente vive en una región donde el número de matices del verde es infinito; pero bajo el cielo completamente gris desaparecen todos los matices del verde. He pensado en el curso de los planetas cuando ya no quede vida, en un universo cada vez más frío, marcado por la progresiva extinción de las estrellas; y las palabras «calor humano» casi me han hecho llorar.

Domingo, he subido en el TGV para volver a París; se acabaron las vacaciones.

Opera Bianca

Opera Bianca *es una instalación móvil y sonora concebida por el escultor Gilles Touyard; la música es obra de Brice Pauset. Esta instalación se compone de siete objetos móviles cuya forma recuerda el mobiliario humano. En las fases claras, estos objetos, inmóviles y blancos sobre un fondo blanco, acumulan energía luminosa. Disipan esta energía en las fases oscuras, emitiendo una luminiscencia que va disminuyendo mientras se cruzan en el espacio, sin llegar a tocarse; su aspecto recuerda entonces las manchas fantasmales que atraviesan la retina cuando algo la ha deslumbrado.*

El texto interviene en las fases oscuras. Se compone de doce secuencias leídas por dos narradores invisibles (una voz masculina, una voz femenina). El orden de las secuencias, aleatorio, cambia de una representación a otra. Por lo tanto, hay que considerar estos textos como doce interpretaciones posibles a partir de una misma situación plástica.

La primera representación tuvo lugar el 10 de septiembre de 1997 en el Centro de Arte Contemporáneo Georges Pompidou (París).

4"

H: ¿Cuál es el elemento más pequeño de una sociedad humana?

36"

M: Asociamos la onda a la mujer,
el corpúsculo a lo masculino
componemos pequeños dramas
anhelando a un Dios maligno

H: En ausencia de conflictos, aparece y se desarrolla un mundo. La red de interacciones envuelve el espacio, crea el espacio con su desarrollo instantáneo. Observando las interacciones conocemos el mundo. Definiendo el espacio mediante los datos observables, en ausencia de contradicciones, proponemos un mundo del que podemos hablar. Llamamos a este mundo «la realidad».

43''

H: Flotaban en la noche junto a un astro inocente,
observando el nacimiento del mundo,
el desarrollo de las plantas
y la impura abundancia de las bacterias;
venían de muy lejos, les sobraba el tiempo.

No tenían ninguna
teoría sobre el futuro,
veían el tormento,
la carencia, el deseo

Instalarse en la Tierra
en medio de los vivos;
conocían la guerra,
cabalgaban el viento.

M: Se reunieron a orillas del estanque;
la bruma se elevaba, avivaba los cielos;
amigos, acordaos de las formas esenciales,
acordaos del hombre; acordaos mucho tiempo.

50''

H: Me gustaría anunciar buenas nuevas, prodigar palabras de consuelo; pero no puedo hacerlo. Sólo puedo observar cómo se abre el abismo entre nuestros pasos y nuestras actitudes.
Surcamos el espacio, el ritmo de nuestros pasos corta el espacio con la exactitud de una navaja; surcamos el espacio y el espacio es cada vez más oscuro.
Hubo un momento preciso en que se rompió el contacto. No consigo recordarlo, pero debió de producirse a cierta altura.

M: Tuvo que haber un momento de comunión en el que no teníamos ninguna objeción contra el mundo;
entonces, ¿cómo es posible que nuestra soledad sea tan grande?
Debió de ocurrir algo, pero el origen de la deflagración nos resulta impenetrable;
miramos a nuestro alrededor, pero ya nada nos parece concreto, ya nada nos parece estable.

56"

M: Andamos por las calles, las miradas se cruzan
y así definimos nuestra presencia humana;
en la calma absoluta del fin de semana,
andamos lentamente cerca de la estación.

Ropa muy larga que abriga carnes grises
prácticamente inmóviles cuando se acaba el día;
nuestra alma minúscula y medio condenada
se agita entre los pliegues antes de detenerse.

H: Hemos existido, dice nuestra leyenda;
de algunos deseos nuestros nació esta ciudad.
Luchamos contra fuerzas hostiles y un día,
[enflaquecidos,
nuestros brazos dejaron caer las riendas

Y flotamos lejos de todos los posibles;
la vida se enfrió, la vida se nos fue;
miramos nuestros cuerpos medio desvanecidos,
en el silencio emergen ciertos datos sensibles.

59''

H: Claro y límpido, el cielo penetraba
en nuestros cristalinos;
ya no pensábamos en el mañana,
la noche estaba casi vacía.

Estábamos prisioneros entre los instrumentos
y las medidas parecían completamente fútiles,
habíamos intentado hacer una obra útil,
las hormigas bailaban bajo un sol inquietante.

Había cierta locura en el aire,
una electricidad, un ruido de cadenas,
los transeúntes se miraban con odio,
parecían planear fantásticos tormentos.

M: Conocerás las tres direcciones del espacio
y comprenderás la naturaleza del tiempo,
verás el sol caer sobre el estanque;
en la noche creerás que has encontrado tu lugar.

H: Vuelve el alba, la arena gira entre los cuerpos;
espíritu de clarividencia, sé equitativo y dirígete al norte;
espíritu de intransigencia, sostén nuestros esfuerzos y combates;
este mundo espera de nosotros el impulso hacia
la muerte.

1'00"

M: Llega un momento en que las palabra dichas,
en lugar de convertirse en destellos de luz,
se retuercen en torno a uno, ahogan sus ideas.
Las palabras están hechas de cierta materia.
(Una materia viscosa
cuando pesan mucho;
así ocurre con las palabras de amor,
con la materia amorosa.)

H: La vida se perpetúa de relámpago en relámpago,
la información circula;
en el fondo de la noche se enlazan los destinos;
las cartas están marcadas.

M: Atravesamos los días con el rostro inmóvil,
ya no hay amor en nuestras miradas estériles,
la infancia ha terminado, la suerte está echada,
nos acercamos al final de la partida.

H: Las últimas partículas
flotan a la deriva en el silencio
y el vacío articula
su presencia en la noche.

M: El polvo forma torbellinos en el suelo gris;
una ráfaga de viento purifica el espacio.
Quisimos vivir, aún quedan indicios;
nuestros cuerpos se suspenden en la espera.

1'04"

H: En la soledad, en el silencio, en la luz, el hombre se carga de energía mental, que luego disipa en sus relaciones con el prójimo. Indiferente, perfecto y redondo, el mundo ha conservado el recuerdo de su origen común. Fragmentos de mundo aparecen, desaparecen, aparecen de nuevo.

M: Más allá del blanco está la muerte
y la separación de los cuerpos;
entre las partículas en carne viva
acabo mi trayectoria emocional.

H: La vida es perfecta, la vida es redonda;
es una nueva historia del mundo.

M: En el universo subatómico
ya no hay topologías
y el espíritu encuentra una morada
en el fondo de la fisura cuántica,

el espíritu se hace un ovillo
en un universo patético,
en la ruptura de la simetría,
en el esplendor de lo idéntico.

H: Todo aparece y brilla con una luz insoportable; nos hemos convertido en seres semejantes a dioses.

1'06"

M: En un momento cualquiera
tiene lugar un encuentro,
la noche llena los ojos
y uno, claro, se equivoca.

H: El mundo está disociado; se compone de individuos. Los individuos se componen de órganos; los órganos de moléculas. Pasa el tiempo; se divide en segundos. El mundo está disociado.

M: El proceso de seducción
es un proceso de medida,
sola en la noche de interacción
entre la luz y la basura.

H: Las neuronas recuerdan la noche. En la red estrellada de las neuronas se forman las representaciones; su recorrido es aleatorio y breve.

M: Habría que atravesar un universo lírico
como se atraviesa un cuerpo muy amado;
habría que despertar las fuerzas oprimidas,
la sed de eternidad, patética y dudosa.

H: La profunda noche cerebral
ha creado el mundo
y todos sus instrumentos.

Seguimos descendiendo hacia lo blanco.

1'10"

M: Cierto que en la contradicción que invade las
[mañanas
respiramos, y el cielo es apacible,
pero ya no creemos que la vida es posible,
no tenemos la impresión de ser humanos.

H: El movimiento de indiferencia
sobre un eje frío y mórbido
es una metáfora de la ausencia,
una semitransición hacia el vacío.

Las señales de lo real velado
en una semiluminiscencia,
horrible como un cielo estrellado,
semitransiciones hacia la ausencia.

Los choques de las máquinas neuronales
en un campo de deseos ficticios
definen un mundo liberal
donde ya nada es definitivo.

M: La naturaleza tiene que adaptarse al hombre
y lo humano se acaba y se vuelve rígido;
siempre he tenido miedo de caer al vacío,
estaba sola en el vacío y me dolían las manos.

H: En la muerte, los cuerpos desencarnados
de quienes creíamos conocer
tienen el aspecto remilgado
de los que no volverán a nacer.

Ahí están, simples y sin heridas,
saciados todos sus deseos;
ya sólo son una osamenta
que el tiempo acaba desgastando.

1'17"

H: Suponemos la existencia de un observador.

M: Estás aquí
o en otra parte;
estás sentada con las piernas cruzadas
en el suelo de la cocina
y tu vida está en ruinas;
alza tu voz hacia el Señor.

¡Mira! Hay moléculas
que existen en semienlace;
hay traiciones a medias,
hay momentos ridículos.

H: No vivimos; hacemos movimientos que creemos voluntarios. La muerte no puede alcanzarnos; ya estamos muertos.

M: Piensas en el gato de Schrödinger,
medio muerto o medio vivo;
en la naturaleza de la luz
y en la ambigüedad del blanco.

H: Niels Bohr decía que con el lenguaje pasa como con los platos en un chalet de montaña. El agua está sucia, la bayeta también; sin embargo, a fin de cuentas, conseguimos fregar los platos.

M: Estás de pie en la pasarela
y piensas en el gel lavavajillas.

H: Dos seres se reúnen, cada cual encerrado en su noche cerebral. No obstante, en la media exacta de sus conciencias del mundo, en un momento determinado por el desarrollo del protocolo instrumental, en un momento concreto, no aleatorio, en un momento necesario, tiene lugar una representación.

2'15"

H: Cargadas de energía, unas partículas circulan en un espacio cerrado, durante un tiempo limitado. Llamemos ciudad a ese espacio; comparemos la energía con el deseo; tendremos una metáfora de la vida.

M: Crees que delimitas seres individuales,
a cada paso tu ojo toma una medida;
hay excepciones, casos residuales,
pero tú estás seguro de ti mismo, conoces la
[naturaleza.

H: Obedeciendo a la teoría de los choques, las partículas reaccionan cubriéndose de caparazones, de espinas, de armas defensivas u ofensivas; tenemos una metáfora de la evolución animal.

M: En medio de la noche ves las trayectorias
de objetos que circulan, claras como a la luz del
[día;

Para ti la libertad es el sentido de la historia
y la acción a distancia es un sueño impreciso.

H: Como la roca necesita el agua
que la erosiona,
así nosotros necesitamos nuevas metáforas.

F: Tienes una agenda y unas coordenadas;
los humanos son móviles y a menudo vulnerables;
chocan con los humanos durante algunos años;
luego se descomponen en agregados inestables.

Dos partículas se reúnen
y tienen una función de onda común;
después se separan en la noche,
se alejan.

Sometamos la partícula B a la acción de un campo eléctrico;
la partícula A reaccionará de forma idéntica;
sea cual sea la distancia
habrá una acción, una influencia.

H: La separación del mundo en objetos es una proyección mental. Ocurren ciertos fenómenos; se determina un dispositivo experimental. La comunidad de los observadores puede llegar a un acuerdo sobre el resultado de las medidas. Se pueden definir unos valores con cierta aproximación. Esos valores son el resultado de una interacción entre el mundo, la conciencia y el instrumento. Así, a través de una intersubjetividad razonable, podemos hablar sobre lo que hemos observado, lo que hemos visto, lo que hemos aprendido.

Entrevista con Sabine Audrerie

Entrevista aparecida en el número 5 (abril de 1997) de Encore.

Después de Le sens du combat [El sentido de la lucha], *ha emprendido la tarea de modificar* La poursuite du bonheur [La búsqueda de la felicidad], *su primer libro de poemas. ¿Le concede cada vez más importancia al género poético?*

No, en realidad estoy escribiendo una novela. Tengo la impresión de estar siguiendo dos caminos contradictorios: cada vez más implacable y sórdido en prosa, cada vez más luminoso y extraño en poesía. Cuando llego demasiado lejos por un camino, enseguida me siento tentado de tomar el otro. Es un equilibrio dinámico, probablemente inferior a una síntesis; pero es lo mejor que puedo hacer por el momento.

¿No está la poesía más directamente destinada a suscitar la emoción, a expresar una vida interior?

Sobre todo, es una visión del mundo más misteriosa. La poesía despierta cosas ocultas, inexpresables por otros medios..., y siempre me sorprende el resultado. A veces va unido a la musicalidad, a veces no; a veces es simplemente una percepción extraña, sin ninguna conexión. Es curioso encontrar en uno mismo cosas inexplicables; estoy cada vez más convencido de que la belleza, separada del deseo, es forzosamente extraña. Se puede encontrar en una novela, pero es mucho más raro; uno se ve arrastrado por la mecánica de los acontecimientos y de los personajes. No quiero hacer un juego de palabras, pero probablemente podemos decir que, en una novela, la parte activa pertenece al orden poético.

¿Podríamos calificar de «maldito» al poeta actual?

Es mucho peor. La poesía es una actividad completamente desesperada. Mucha gente siente necesidad de escribir poemas en el curso de su vida; pero ya nadie los lee. La idea de que la poesía es algo forzosamente aburrido ha echado raíces; y la canción sólo colma en parte la necesidad poética.

¿No se siente demasiado afín a los poetas contemporáneos?

He leído a muchos poetas del siglo pasado, pero no a tantos de mi propio siglo. Mi época favorita –tanto en poesía como en música– sigue siendo la primera época del romanticismo alemán. Sería difícil encontrar algo así en la actualidad, los tiempos se prestan mal al lirismo y a lo patético. No estoy ni a favor ni en contra de ninguna vanguardia, pero me doy cuenta de que me distingo por el simple hecho de que me interesa más el mundo que el lenguaje. Me fascinan los fenómenos inéditos del mundo en el que vivimos, y no entiendo cómo los demás poetas consiguen mantenerse al margen: ¿es que todos viven en el campo? Todo el mundo va al supermercado, lee revistas, tiene un televisor, un contestador automático... No consigo superar este aspecto de las cosas, escapar a esta realidad; soy terriblemente permeable al mundo que me rodea.

Ha modificado muy poco el texto de «su método», Rester vivant [Seguir vivo].

Es un texto de esos que surgen «de un tirón», muy difícil de modificar. Y es cierto que define un método al que he seguido siendo fiel hasta ahora. Sé que *Ampliación del campo de batalla*, mi primera novela, sorprendió a mucha gente. Es probable que los que habían leído *Rester vivant* (muy pocos) se sorprendieran menos que los demás.

¿Cuál podría ser el papel de la literatura en el mundo que describe, vacío de sentido moral?

Un papel penoso, en cualquier caso. Cuando uno pone el dedo en la llaga, se condena a un papel antipático. Dado el discurso casi de cuento de hadas de los medios de comunicación, es fácil hacer gala de cualidades literarias desarrollando la ironía, la negatividad, el cinismo. Pero cuando uno quiere superar el cinismo, las cosas se ponen muy difíciles. Si alguien consigue desarrollar en la actualidad un discurso que sea a la vez honesto y positivo, modificará la historia del mundo.

Entrevista con Valère Staraselski

Entrevista publicada el 5 de julio de 1996 en L'Humanité.

Los títulos de sus obras suenan como llamadas a la resistencia en un mundo visto a través de lo cotidiano más insignificante en apariencia, y sobre todo a través de la vida empresarial, cosa rara en literatura; un mundo construido sobre un engaño cada vez más flagrante. ¿Puede explicarse el impacto de sus libros gracias al hecho de que expresan directamente algo social y políticamente no-dicho?

Mis personajes no son ni ricos ni famosos; tampoco son marginados, delincuentes o excluidos. Hay secretarias, técnicos, oficinistas, directivos. Personas que a veces pierden su empleo, que a veces sufren una depresión. Gente completamente corriente, poco atractiva a priori desde un punto de vista novelesco. No hay duda de que la presencia en mis libros –sobre todo en mi novela– de ese universo banal, pocas veces descrito (puesto que, además, los escritores no lo conocen bien), ha causado sorpresa. Puede que además haya conseguido, sí, describir ciertas mentiras habituales, patéticas, que la gente se cuenta a sí misma para soportar lo desgraciada que es su vida.

Al describir un mundo al que el liberalismo ha despoja-

do de humanidad, afirma que «esta progresiva desaparición de las relaciones humanas plantea ciertos problemas a la novela [...] Estamos lejos de Cumbres borrascosas, *es lo menos que puede decirse. La forma novelesca no está concebida para retratar la indiferencia, ni la nada; habría que inventar una articulación más anodina, más concisa, más taciturna». ¿No ocurre lo mismo con la poesía?*

Siempre hay momentos extraños, muy densos, que la poesía traduce de un modo natural e inmediato. Lo que sí es típicamente moderno es que cuesta mucho encajar esos momentos en una continuidad con sentido. Mucha gente siente que vive durante breves instantes; pero sus vidas, vistas en conjunto, carecen de dirección y de sentido. Por eso se ha vuelto difícil escribir una novela honesta, sin tópicos, en la que exista una progresión narrativa. No estoy muy seguro de haber encontrado una solución; tengo la impresión de que se puede proceder por inyección brutal de teoría y de historia en el material narrativo.

Los cambios en las relaciones y la condición de hombres y mujeres repercute en sus textos. A menudo, de forma dolorosa. ¿Qué le sugiere el verso de Aragon «el futuro del hombre es la mujer»?

Lo que se dio en llamar «la liberación de la mujer» les convenía más a los hombres, que veían en ella la posibilidad de multiplicar los encuentros sexuales. Después vinieron la disolución de la pareja y de la familia, es decir, de las últimas comunidades que separaban al hombre del mercado. Creo que, en general, es una catástrofe humana; pero vuelven a ser las mujeres las que salen perdiendo. En la situación tradicional, el hombre se movía en un mundo más libre y más abierto que la mujer; o sea, en un mundo más duro, competitivo, egoísta y violento. Los valores femeninos clásicos estaban impregnados de altruismo, amor, compasión, fidelidad y dulzura. Aunque ahora nos reímos de esos valores, hay que decir claramente que son valores civilizados superiores, y que su desaparición total sería una tragedia.

En este contexto, el verso de Aragon que usted cita me parece de un optimismo inverosímil; pero los viejos poetas tienen derecho a convertirse en visionarios, a proyectarse en un futuro cuyos primeros trazos no se perciben todavía. Es posible que la masculinidad sea un paréntesis en la historia de la humanidad; un desgraciado paréntesis.

A los partidos políticos, incluido el PCF,[1] *se les ha reprochado transmitir un conformismo a la larga mortífero, actuar según prácticas que ya no corresponden a las necesidades vitales de la sociedad y moverse demasiado a menudo en un circuito cerrado. ¿Qué opina sobre esto? Y, en un momento en el que algunos artistas, sobre todo en el cine, tratan temas cruciales para la civilización y no dudan en hacerse cargo del mundo en sus obras, ¿cómo ve las relaciones entre el arte y la política en la sociedad actual?*

Desde septiembre de 1992, cuando cometimos el error de votar a favor de Maastricht, una nueva sensación se extendió por todo el país: la sensación de que los políticos no pueden hacer nada, de que no tienen ningún control real sobre los acontecimientos y de que ese control será cada vez menor. A causa de una fatalidad económica inexorable, Francia se inclina lentamente hacia la zona de los países de rentas medias y pobres. En estas condiciones, obviamente, lo que el público siente por los políticos es

1. Partido Comunista Francés. *(N. de la T.)*

desprecio. Los políticos lo notan, y se desprecian a sí mismos. Asistimos a un juego amañado, malsano, funesto. Es difícil tener una conciencia clara de todo esto. Para contestar a la segunda parte de su pregunta: si el arte consiguiera reflejar con cierta honestidad el caos actual, ya sería un gran logro; y en realidad no se le podría pedir más. Si uno se siente capaz de expresar una idea coherente, bien está; si tiene dudas, debe comunicarlas también. Personalmente, creo que el único camino es seguir expresando, sin compromisos, las contradicciones que me desgarran; y a la vez sabiendo que lo más probable es que esas contradicciones resulten ser representativas de mi época.

Ha evocado en sus textos más de una vez la figura de Robespierre, y en una entrevista se declaraba partidario de una sociedad comunista, aunque reconocía que no funcionaría demasiado bien con individuos como usted. Por otra parte, en su poema Dernier rempart contre le libéralisme [Último baluarte contra el liberalismo], *se refiere a la encíclica de León XIII sobre la misión social del Evangelio. En su opinión, ¿qué hay que hacer, políticamente, para que el hombre siga siendo hombre?*

Puede que la anécdota que voy a contarle sea apócrifa, pero me gusta mucho: dicen que fue Robespierre quien insistió para que se añadiera la palabra «fraternidad» a la divisa de la República. Como si se hubiera dado cuenta, en una intuición fulgurante, de que la libertad y la igualdad eran dos términos antinómicos; de que era absolutamente indispensable un tercer término. La misma intuición que en los últimos tiempos le llevó a intentar luchar contra el ateísmo, a promover el culto al Ser Supremo (y eso en medio de tantos peligros, de la escasez, de la guerra civil y exterior); ahí podemos ver una prefiguración del concepto comtiano de Gran Ser.[1] En general, me parece poco verosímil que una civilización pueda subsistir mucho tiempo sin ninguna religión (precisando que una religión puede ser atea, como el budismo). La conciliación razonada de los egoísmos, error del Siglo de las Luces al que los liberales, en su incurable necedad (a menos que se trate de cinismo, que al fin y al cabo vendría a ser lo mismo), siguen haciendo referencia, me parece una base de una fragilidad ridícula. En la entrevista que usted mencionaba, yo decía ser «comunista, pero no marxista»; el error del marxismo fue pensar que bastaba con cambiar las estructuras económicas, y que el resto vendría por sí mismo. Como hemos visto, el resto no ha venido. Por ejemplo, si los jóvenes rusos se han adaptado con tanta rapidez al ambiente repugnante del capitalismo mafioso es porque el régimen precedente fue incapaz de promover el altruismo. Y no lo consiguió porque el materialismo dialéctico, basado en las mismas premisas filosóficas erróneas que el liberalismo, es por principio incapaz de conducir a una moral altruista.

Dicho esto, y aunque soy dolorosamente consciente de la necesidad de una dimensión religiosa, me declaro fundamentalmente no religioso. El problema es que ninguna religión actual es compatible con el estado general del conocimiento; está claro que lo que nos hace falta es una nueva ontología. Tal vez estos problemas parezcan exageradamente intelectuales; no obstante creo que tienen, poco a poco, enormes consecuencias concretas. En mi opinión, si no ocurre algo en este terreno, la civilización occidental no tiene ninguna posibilidad.

1. En *Sistema de política positiva*, el filósofo Auguste Comte afirma que la Humanidad es el Gran Ser como «conjunto de los seres pasados, futuros y presentes que concurren libremente a perfeccionar el orden universal». *(N. de la T.)*

Tiempos muertos

Estas crónicas aparecieron en los números 90 a 97 de Les Inrockuptibles *(febrero-marzo 1997). Los títulos son de Sylvain Bourmeau.*

¿QUÉ BUSCAS AQUÍ?

«Tras el éxito masivo de la primera edición», se celebra en el recinto de exposiciones de la puerta Champerret el segundo salón del vídeo *hot*. Apenas pongo el pie en la explanada, una joven que ya no recuerdo me da una octavilla. Intento hablar con ella, pero ya ha vuelto junto a un grupito de militantes, cada cual con un paquete de octavillas en la mano, que dan patadas en el suelo para calentarse. Una pregunta cruza la hoja que me han dado: «Qué buscas aquí?» Me acerco a la entrada; el recinto de exposiciones está en el sótano. Dos ascensores ronronean débilmente en medio de un espacio inmenso. Entran hombres, solos o en pequeños grupos. Más que a un templo subterráneo de la lujuria, el lugar recuerda a un Darty.[1] Bajo unos escalones, y luego recojo un catálogo abandonado. Es de Cargo VPC, una compañía de venta por correo especializada en vídeos X. Pues sí, ¿qué hago yo aquí?

Al volver al metro, empiezo a leer la octavilla. Bajo el título «La pornografía te pudre la cabeza», desarrolla la siguiente argumentación: en casa de todos los delincuentes

1. Hipermercado del electrodoméstico; una especie de cadena Expert francesa. *(N. de la T.)*

sexuales, violadores, pedófilos, etc., se encuentran siempre numerosas cintas pornográficas. «Según todos los estudios», el visionado repetido de cintas pornográficas provoca una confusión de las fronteras entre la fantasía y la realidad, facilitando el paso a la acción, a la vez que despoja a las «prácticas sexuales convencionales» de cualquier atractivo.

«¿Usted qué cree?» Oigo la pregunta antes de ver a mi interlocutor, que se ha parado delante de mí. Joven, con el pelo corto, cara inteligente y un poco ansiosa. Llega el metro, y así me da tiempo a recuperarme de la sorpresa. Durante años he andado por las calles preguntándome si llegaría un día en que alguien me dirigiese la palabra... para otra cosa que no fuera pedirme dinero. Y resulta que ese día ha llegado. Gracias al segundo salón del vídeo *hot.*

Al contrario de lo que pensaba, no se trata de un militante antipornografía. De hecho, viene del salón. Ha entrado. Y lo que ha visto le ha hecho sentirse incómodo. «Sólo hombres... con algo violento en la mirada.» Contesto que el deseo suele imponer a los rasgos una máscara tensa, violenta, sí. Pero no, ya lo sabe, no habla de la violencia del deseo, sino de una *violencia realmente violenta.* «Me he visto entre grupos de hombres...», el recuerdo parece angustiarle un poco, «muchas cintas de violaciones, de sesiones de tortura... estaban excitados, sus ojos, la atmósfera... Era...» Yo escucho y espero. «Tengo la impresión de que las cosas van a acabar mal», concluye bruscamente antes de bajarse en la estación de Opéra.

Mucho más tarde, en mi casa, me acuerdo del catálogo de Cargo VPC. El guión de *Sodomías adolescentes* nos promete «salchichas de Frankfurt en el agujerito, el sexo atiborrado de raviolis, un buen polvo en salsa de tomate». El de *Corrida ardiente n.º 6* está protagonizado por «Rocco, el arador de culos: rubias afeitadas o húmedas morenas, Rocco convierte los anos en volcanes para escupir en ellos su lava ardiente». Y el resumen de *Guarras violadas n.º 2* merece ser citado íntegramente: «Cinco magníficas guarras agredidas, sodomizadas, violadas por sádicos. Aunque luchen y saquen las uñas, terminarán molidas a golpes, convertidas en vacíacojones humanos.» Hay sesenta páginas del mismo estilo. Confieso que no me lo esperaba. Por primera vez en mi vida, empiezo a sentir una vaga simpatía por las feministas norteamericanas. Sí que desde hace algunos años había oído hablar de la aparición de la moda *trash,* pero creí, tontamente, que sólo se trataba de la explotación de un nuevo sector del mercado. Tonterías de economista, me dice al día siguiente mi amiga Angèle, autora de una tesis de doctorado sobre el comportamiento mimético de los reptiles. El fenómeno es mucho más profundo. «Para reafirmar su potencia viril», afirma en tono festivo, «el hombre ya no se conforma con la simple penetración. Se siente constantemente evaluado, juzgado, comparado con los demás machos. Para librarse de ese malestar, para llegar a sentir placer, ahora necesita golpear, humillar y envilecer a su compañera; sentirla completamente a su merced. Por otra parte», concluye con una sonrisa, «este fenómeno empieza a observarse también en las mujeres.»

«Pues sí que estamos jodidos», digo al cabo de un rato. Pues sí, opina. Desde luego que sí.

EL ALEMÁN

La vida de un alemán se desarrolla como sigue: durante su juventud y su madurez, el alemán *trabaja* (normalmente en Alemania). A veces se queda en paro, pero con menos frecuencia que un francés. Sea como sea, los años pasan y el alemán llega a la edad de la jubilación; entonces puede elegir su lugar de residencia. ¿Se va a vivir a una granjita en Suavia? ¿O a una casa en las zonas residenciales de Munich? A veces, pero cada vez menos. En el alemán de entre cincuenta y cinco y sesenta años se opera un cambio profundo. Como la cigüeña en invierno, como el hippie de otras épocas, como el israelita adepto del *Goa trance*, el alemán sexagenario *emprende el viaje al Sur*. Lo volvemos a encontrar en España, casi siempre en la costa entre Cartagena y Valencia. Se avistan algunos especímenes –en general de extracción social más acomodada– en Canarias o en Madeira.

Este cambio profundo, existencial, definitivo, sorprende poco a su entorno; ha sido preparado por múltiples vacaciones, la compra de un apartamento lo ha hecho casi inevitable. Así vive el alemán, y así disfruta de sus últimos años dorados. Observé este fenómeno por primera vez en noviembre de 1992. Mientras conducía por la zona del norte de Alicante, se me ocurrió la peregrina idea de parar en una miniciudad, que por analogía podríamos llamar pueblo; el mar estaba al lado. El pueblo no tenía nombre; probablemente no habían tenido tiempo de darle uno; estaba claro que no había ninguna casa anterior a 1980. Serían las cinco de la tarde. Caminando por las calles desiertas observé, de entrada, un fenómeno curioso: los letreros de las tiendas y de los cafés, los menús de los restaurantes, todo estaba en alemán. Compré algunas provisiones, y vi que el lugar empezaba a animarse. Una población cada vez más densa llenaba las calles, las plazas, el paseo de la playa; parecía animada por un vivo deseo de consumo. Las amas de casa salían de sus residencias. Hombres bigotudos se saludaban calurosamente, y parecían ponerse de acuerdo sobre los detalles de la velada. La homogeneidad de aquella población, al principio llamativa, empezó a obsesionarme poco a poco, y a eso de las siete tuve que rendirme a la evidencia: LA CIUDAD ESTABA POBLADA ÚNICAMENTE POR JUBILADOS ALEMANES.

Desde un punto de vista estructural, la vida de un alemán recuerda bastante la vida de un trabajador inmigrante. Tomemos un país A y un país B. El país A ha sido concebido como país de trabajo; todo en él es funcional, aburrido y preciso. El país B es un país de ocio, para pasar las vacaciones y la jubilación. Uno lamenta irse, desea regresar. Es en el país B donde uno hace amistades de verdad, amistades íntimas; allí se compra una casa, que quiere legar a sus hijos. Normalmente, el país B está más al sur.

¿Podemos concluir que Alemania se ha convertido en una región del mundo donde el alemán ya no quiere vivir, y de la que huye en cuanto puede? Creo que sí. Así que la opinión de un alemán sobre su país natal se parece a la opinión de un turco. No hay ninguna diferencia real; aunque quedan algunos cabos sueltos.

En general, el alemán tiene una *familia*, compuesta por uno o dos hijos. Como sus padres a esa edad, los hijos *trabajan*. Y a nuestro jubilado se le ofrece la oportunidad de una pequeña migración; muy estacional, puesto que tiene lugar durante el período de fiestas, por ejemplo entre Navidad y el día de Año Nuevo. *(ATENCIÓN: el fenómeno que se describe a continuación no se observa en el trabajador inmigrante propiamente dicho; Bertrand, camarero en la cervecería Le Mediterranée, en Narbona, me ha facilitado los detalles.)*

Entre Cartagena y Wuppertal hay un largo camino, incluso a bordo de un potente vehículo. Al caer la noche, no es raro que el alemán sienta necesidad de hacer una escala; la región de Languedoc-Roussillon, dotada de una moderna oferta hotelera, es una opción satisfactoria. Llegados a este punto, ya ha pasado lo peor; la red de autopistas francesas sigue siendo, por mucho que digan, superior a la española. Ligeramente relajado después de cenar (ostras de Bouzigues, chipirones a la provenzal, una pequeña bullabesa para dos personas si es temporada alta), el alemán abre su corazón. Entonces habla de su hija, que trabaja en una galería de arte en Düsseldorf; de su yerno informático; de sus problemas de pareja y de las posibles soluciones. Y habla.

> *«Wer reitet so spät durch Nacht und Wind?*
> *Es ist der Vater mit seinem Kind.»*[1]

Lo que dice el alemán a esas horas y en ese estado ya no tiene mucha importancia. De todas formas está en un país intermedio y puede dar libre curso a sus pensamien-

1. «¿Quién cabalga tan tarde en la noche y el viento? / Es el padre con su hijo...» Cita del poema «El rey de los alisos», Goethe. *(N. de la T.)*

tos más profundos; y pensamientos profundos no le faltan.

Más tarde, se queda dormido; y seguramente es lo mejor que puede hacer.

Ésta era nuestra rúbrica: «La paridad franco-marco, el modelo económico alemán.» Buenas noches a todos.

LA REDUCCIÓN DE LA EDAD DE JUBILACIÓN

Hace tiempo, éramos animadores de los lugares de vacaciones; nos pagaban para entretener a la gente, para intentar entretener a la gente. Después, ya casados (o más a menudo divorciados), volvemos a esos lugares de vacaciones, esta vez como clientes. Los jóvenes, otros jóvenes, intentan divertirnos. Por nuestra parte, intentamos tener relaciones sexuales con algunos miembros del lugar de vacaciones (a veces ex animadores y a veces no). A veces lo conseguimos; la mayoría de las veces fracasamos. No nos divertimos mucho. Nuestra vida ya no tiene sentido, concluyó el ex animador de lugar de vacaciones.

Construido en 1885, el Holiday Inn Resort de Safaga, en la costa del Mar Rojo, tiene 327 habitaciones y seis *suites* espaciosas y agradables. Entre los servicios podemos citar el vestíbulo de entrada, el *coffee-shop*, el restaurante, el restaurante de la playa, la discoteca y la terraza de espectáculos. En la galería comercial hay tiendas diversas, un banco, una peluquería. La diversión está asegurada gracias a un simpático grupo franco-italiano (bailes, juegos). En resumen, para utilizar la expresión de la agencia de viajes, «un paquete estupendo».

La reducción de la edad de jubilación a cincuenta y

cinco años, continuó el ex animador de lugares de vacaciones, sería una medida acogida favorablemente por los profesionales del turismo. Es difícil rentabilizar una estructura de tal envergadura sobre la base de una temporada corta y discontinua, esencialmente limitada al período estival, y en menor medida a las vacaciones de invierno. Es evidente que la solución pasa por establecer vuelos chárter para jubilados jóvenes, con tarifas preferentes, que permitirían armonizar los flujos. Tras la desaparición del cónyuge, el jubilado se encuentra en una situación parecida a la del niño: viaja en grupo, tiene que hacer amigos. Pero mientras que los niños juegan con los niños y las niñas charlan con las niñas, los jubilados no atienden a distinciones de sexo. De hecho, se ha comprobado que multiplican las alusiones y sobreentendidos de carácter sexual; tienen una lubricidad verbal sencillamente abrumadora. Por penosa que pueda ser mientras dura, hay que reconocer que la sexualidad parece ser algo que uno echa de menos más tarde, un tema que a la gente le gusta adornar con variaciones nostálgicas. Y así se hacen amistades, de dos en dos o de tres en tres. Juntos descubren el valor de cambio de la divisa, programan una excursión en un todo terreno. Un poco encogidos, con el pelo corto, los jubilados parecen gnomos, gruñones o amables según su personalidad. A menudo sorprende lo robustos que son, concluyó el ex animador.

«Yo digo que allá cada cual con su religión, y que todas las religiones son respetables», intervino sin venir a cuento el responsable del despertar muscular. Ofendido por la interrupción, el ex animador se refugió en un triste silencio. Con cincuenta y dos años, este fin de enero era uno de los clientes más jóvenes. Además ni siquiera estaba jubilado, sino prejubilado, o en un convenio de reconversión, o algo así. Valiéndose con todo el mundo de su calidad de ex profesional del turismo, había sabido ganarse cierto prestigio con el grupo de animación. «Inauguré el primer Club Mediterranée en Senegal», solía decir. Luego canturreaba, esbozado un paso de baile: «Me voy a alucinar a Seee-ne-gal / con una copilooo-to sin igual.» En fin, que era un tipo estupendo. Pero yo no me sorprendí cuando encontraron su cadáver a la mañana siguiente, flotando entre dos aguas en la piscina que miraba al mar.

CALAIS, PASO DE CALAIS

Como veo que todo el mundo está despierto,* aprovecho para apoyar una modesta petición a la que los medios de comunicación, a mi juicio, no han prestado atención suficiente: la que han hecho Robert Hue y Jean-Pierre Chevènement a favor de un referéndum sobre la moneda única. Cierto que el Partido Comunista ya no es lo que era, que Jean-Pierre Chevènement sólo se representa a sí mismo, y «gracias»; aun así expresan un deseo mayoritario, y Jacques Chirac había prometido ese referéndum. Lo cual, en el momento en que digo esto y técnicamente, lo convierte en un mentiroso.

No creo dar muestras de una excepcional agudeza de análisis diagnosticando que vivimos en un país cuya población se está empobreciendo, tiene la sensación de que va a empobrecerse cada vez más, y además está convencida de que todos sus males se deben a la competición económica internacional (simplemente porque está perdiendo la «competición económica internacional»). Hace unos pocos años, a todo el mundo le importaba un rábano Euro-

* Alusión al «despertar ciudadano», título de portada del número anterior de *Les Inrockuptibles* (sobre el tema de los inmigrantes ilegales).

pa; era un proyecto que no había despertado ni la menor oposición ni el más mínimo entusiasmo; digamos que ahora han aparecido ciertos inconvenientes, y que parece haber una creciente hostilidad. Cosa que, al fin y al cabo, ya sería un buen argumento a favor de un referéndum. Merece la pena recordar que el referéndum de Maastricht, en 1992, estuvo a punto de no convocarse (la palma histórica del desprecio es, sin duda, para Valéry Giscard d'Estaing, que consideraba el proyecto «demasiado complejo para ser sometido a votación»), y que una vez se produjo estuvo a punto de saldarse con un NO, mientras que el conjunto de los políticos y de los medios de comunicación responsables pedían el SÍ.

Esta profunda y casi increíble obstinación de los partidos políticos «gubernamentales» en seguir adelante con un proyecto que no le interesa a nadie, y que incluso empieza a asquear a todo el mundo, puede explicar, en sí misma, muchas cosas. Por mi parte, cuando me hablan de nuestros «valores democráticos», me cuesta sentir la emoción requerida; mi primera reacción es, más bien, echarme a reír a carcajadas. Si hay algo de lo que estoy seguro, cuando me piden que elija entre Chirac y Jospin (!) y se niegan a consultarme sobre la moneda única, es que *no* vivimos en democracia. Bueno, puede que la democracia no sea el mejor de los regímenes; es, como suele decirse, la puerta abierta a «peligrosas desviaciones populistas»; pero entonces preferiría que nos lo dijeran francamente: hace tiempo que se trazaron las grandes directrices, son sabias y justas, no pueden ustedes entenderlas bien; sin embargo todos ustedes pueden, en función de su sensibilidad, aportar tal o cual matiz político a la composición del próximo gobierno.

En *Le Figaro* del 25 de febrero leo unas interesante estadísticas sobre el Paso de Calais; el 40 % de la población local vive por debajo del nivel de pobreza (cifras del Instituto Nacional de Estadística); seis contribuyentes de cada diez están exentos del pago del impuesto sobre la renta. Al contrario de lo que podríamos pensar, el Frente Nacional consigue resultados mediocres en la región; cierto que la población inmigrante disminuye constantemente (aunque el índice de natalidad es muy bueno, notablemente superior a la media nacional). De hecho, el alcalde-diputado de Calais es comunista, con la interesante particularidad de ser el único que ha votado contra el abandono de la dictadura del proletariado.

Calais es una ciudad impresionante. Lo normal en una ciudad de provincias de ese tamaño es que haya un centro histórico, calles peatonales animadas los sábados por la tarde, etc. Pero en Calais no hay nada parecido. Durante la Segunda Guerra Mundial, el 95 % de la ciudad resultó arrasado; y los sábados por la tarde no hay nadie en la calle. Uno pasa junto a edificios abandonados, inmensos aparcamientos vacíos (desde luego es la ciudad francesa donde más fácil resulta aparcar). Los sábados por la tarde es un poco más alegre, pero con una alegría bastante especial. Casi todo el mundo está borracho. En la zona de bares hay un casino, con hileras de máquinas tragaperras donde los habitantes de Calais despilfarran su salario mínimo interprofesional. El escenario de los paseos del domingo por la tarde es la entrada del túnel del Canal de la Mancha. Al otro lado de las verjas, casi siempre en familia, a veces empujando un carrito de bebé, la gente mira pasar el Eurostar. Saludan con la mano al conductor, que contesta tocando la sirena antes de hundirse bajo el mar.

La mujer decía que iba a ahorcarse; el hombre llevaba ropa cómoda. El caso es que las mujeres rara vez se ahorcan; siguen siendo fieles a los barbitúricos. «Es lo más»: era lo más. «Hay que evolucionar»: ¿Por qué? Los cojines del asiento, entre ellos y yo, estaban destripados. La pareja bajó en Maisons-Alfort. Un creativo de unos veintisiete años se sentó a mi lado. Enseguida me cayó antipático (quizás por su coleta, o por el bigotito desfasado; puede que también por cierto parecido con Maupassant). Desplegó una carta de varias páginas y empezó a leerla; nos acercábamos a la estación de Liberté. La carta estaba en inglés, y la había escrito una sueca (lo comprobé ese misma noche en mi Larousse ilustrado; sí, Uppsala está en Suecia, es una ciudad de ciento cincuenta y tres mil habitantes con una universidad muy antigua; no parece que haya mucho más que decir sobre el lugar). El creativo leía despacio, su inglés no era muy bueno, no me costó nada reconstruir los detalles del asunto (me di cuenta, fugazmente, de que mi moralidad no tenía arreglo; pero al fin y al cabo el metro es un lugar público, ¿no?). Según parece, se habían conocido el último invierno en Chamrousse (¡a quién se le ocurre, una sueca yendo a esquiar a los Alpes!). El encuentro había cambiado su vida. Ya no podía hacer otra cosa que pensar en él, y tampoco lo intentaba (en ese momento él puso una cara de vanidad insoportable, se recostó un poco más en el asiento, se alisó el bigote). Por las palabras que usaba, se notaba que ella empezaba a tener miedo. Estaba dispuesta a todo para volver a verlo, pensaba en buscar trabajo en Francia, quizás alguien podría darle alojamiento, había posibilidades como chica *au pair.* Mi vecino frunció el ceño, molesto; sí, cualquier día la vería llegar, sonaba completamente dispuesta a hacer algo así. Ella sabía que él estaba muy ocupado, que tenía muchos negocios entre manos (eso me parecía dudoso; eran las tres de la tarde y el tipo no tenía pinta de llegar tarde a ningún sitio). Entonces él echó una mirada un poco apagada a su alrededor, pero estábamos todavía en la estación de Daumesnil. La carta terminaba con esta frase: *«I love you and I don't want to loose you.»*[1] Eso me pareció muy hermoso; hay días en que me encantaría escribir así. Firmaba *«Your's Ann-Katrin»,*[2] y rodeaba la firma de corazoncitos. Era viernes 14 de febrero, día de San Valentín (esta costumbre comercial de origen anglosajón ha sido muy bien acogida en los países nórdicos). Me dije que a veces las mujeres eran realmente valientes.

El tipo bajó en Bastille, y yo también. Por un momento, me entraron ganas de seguirlo (¿iría a un bar de tapas, o qué?), pero tenía cita con Bertrand Leclair en *La Quinzaine Littéraire.* Mi idea era, dentro del marco de esta crónica, enzarzarme con Bertrand Leclair en una polémica sobre Balzac. Primero porque no entiendo muy bien qué tiene de peyorativo el adjetivo *balzaquiano* que

1. *«Te amo y no quiero perdierte.»* (La autora de la carta comete un error ortográfico. *(N. de la T.)*

2. «*Tuyas,* Ann-Katrin.» (Otro error ortográfico). *(N. de la T.)*

de vez en cuando le coloca a este o aquel novelista; y además porque estoy un poco harto de las polémicas sobre Céline, autor sobrevalorado. Pero, a fin de cuentas, Bertrand ya no tiene muchas ganas de criticar a Balzac; al contrario, le impresiona su increíble libertad; parece pensar que si ahora hubiese novelistas *balzaquianos* no sería, forzosamente, una catástrofe. Estamos de acuerdo en que un novelista con tanta fuerza tiene que ser, sin remedio, un tremendo productor de tópicos; que esos tópicos sigan siendo válidos o no en la actualidad es otra cuestión que hay que examinar con mucho cuidado, caso por caso. Fin de la polémica. Vuelvo a pensar en esa pobre Ann-Katrin, que imagino con los rasgos patéticos de Eugénie Grandet (esa impresión de vitalidad anormal que se desprende de todos los personajes de Balzac, ya sean conmovedores u odiosos). Hay personajes que no consigue matar, que resurgen en cada libro (qué pena que no conociera a Bernard Tapie).[1] También hay personajes sublimes, que se graban de inmediato en la memoria; precisamente porque son sublimes, y no obstante reales. ¿Balzac realista? También podríamos decir «romántico». En cualquier caso, no creo que se sintiera fuera de lugar en nuestra época. Después de todo, la vida sigue teniendo verdaderos elementos de melodrama. Sobre todo, la vida de los demás.

1. Ex propietario del C. F. Olympique de Marsella, más tarde involucrado en diversos escándalos de financiación. Versión francesa de Jesús Gil. *(N. de la T.)*

PASAR EL TRAGO

El sábado por la tarde, con motivo de la Feria del Libro, el festival de primeras novelas de Chambéry organizaba un debate en torno al tema: «¿Se ha convertido la primera novela en un producto comercial?» Estaba previsto que el acto durase una hora y media; por desgracia, Bernard Simeone dio de inmediato la respuesta correcta: SÍ. Incluso explicó claramente los motivos: en literatura, como en cualquier otro ámbito, la gente quiere caras nuevas (creo que empleó la expresión, más brutal, de «carne fresca»). Ver las cosas con claridad no tenía ningún mérito, se disculpó; él se pasaba media vida en Italia, un país que, en su opinión, estaba «en la vanguardia de lo peor» en muchos campos. El debate derivó hacia el papel de la crítica literaria, un tema más confuso.

Todo esto empieza a fines de agosto, con frases del estilo «han llegado los nuevos narradores» (foto de grupo en el Pont des Arts, o en un garaje de Maisons-Alfort), y acaba en noviembre, con la entrega de los premios. Después vienen el vino joven y la cerveza de Navidad, y así la gente aguanta hasta las vacaciones. La vida no es tan difícil, sólo hay que pasar el trago. Por cierto, hay que subrayar el homenaje de la industria a la literatura al asociar los placeres literarios al período más sombrío, al lunes del año, a la entrada del túnel. Por el contrario, Roland Garros se organiza en junio. En cualquier caso, yo sería el último en criticar a esos colegas que hacen lo que sea sin entender nunca del todo lo que les piden. Por mi parte, yo he tenido mucha suerte. Sólo un pequeño patinazo con *Capital*, la revista del grupo Ganz (que además yo confundía con el programa del mismo nombre en el canal M6). La chica no llevaba cámara, lo cual tendría que haberme puesto sobre aviso; a pesar de todo, me quedé sorprendido cuando me confesó que no había leído ni una línea. No lo entendí hasta más tarde, cuando leí el reportaje «EJECUTIVO DE DÍA, ESCRITOR DE NOCHE: NO ES FÁCIL IGUALAR A PROUST O A SULITZER» (que, dicho sea de paso, no recogía nada de lo que yo había dicho). Lo que a ella le habría gustado es que yo le contara *mi maravillosa historia*. Tendría que haberme avisado, podría haberme preparado algo, con Maurice Nadeau[1] haciendo de viejo y huraño mago y Valérie Taillefer en el papel del hada Campanilla. «Ve a buscar a Nadd-hô,[2] hijo mío. Él es el talismán, la memoria, el guardián de nuestras tradiciones más sagradas.» O podría haberme puesto en plan *Rocky*, versión cerebral: «Durante el día, armado con su base de datos, lucha con los flujos críticos; pero de noche, con su tratamiento de textos, golpea las perífrasis. Su única fuerza: creer en sí mismo.» En lugar de hacer algo así, fui tontamente sincero, incluso agresivo; si a uno no le explican la idea, no hay que esperar milagros. Cierto que tendría que haber mirado la revista, pero no me dio tiempo (los lectores de *Capital* son, en su mayoría, desempleados, lo cual no consigue hacerme reír).

1. Nadeau editó la primera novela de Houellebecq. *(N. de la T.)*

2. En francés, Nadeau se pronuncia «Nadó». De ahí el juego con un nombre que podría pertenecer a un personaje de *El Señor de los Anillos. (N. de la T.)*

Otro malentendido bastante molesto que me ocurrió después en una de las bibliotecas municipales de Grenoble; contra todo pronóstico, la política de promoción de la lectura entre los jóvenes resulta ser un éxito local. Muchas intervenciones del tipo: «¡Eh, señor escritor, dame un mensaje, dame esperanza!» Estupefacción de los escritores sentados en el estrado. Ningún rechazo a priori; poco a poco se acuerdan de que sí, de que una de las misiones posibles del escritor, en tiempos ya muy lejanos... ¿pero así, de viva voz, en dos minutos? «Ni que yo fuera Bruel»,[1] gruñe uno cuyo nombre he olvidado. En fin, parece que ellos, al menos, han leído.

Afortunadamente, al final, una intervención precisa, luminosa y honesta de Jacques Charmetz, fundador del Festival de Chambéry (en la época, no tan lejana, en que la primera novela era más que un concepto): «No están aquí para eso. Preguntadles si buscan cierta forma de verdad, ya sea alegórica o real. Preguntadles si quieren hurgar en las heridas, y echar sal en ellas si es que pueden.» Cito de memoria, pero, de todos modos, gracias.

1. Una versión francesa del cantante Alejandro Sanz, con mucho éxito entre los quinceañeros. *(N. de la T.)*

¿PARA QUÉ SIRVEN LOS HOMBRES?

–Él no existe. ¿Lo entiendes? No existe.

–Sí, lo entiendo.

–Yo existo. Tú existes. Él no existe.

Después de establecer la inexistencia de Bruno, la mujer de cuarenta años acarició dulcemente la mano de su compañera, mucho más joven. Parecía feminista, y además llevaba un suéter de feminista. La otra parecía una cantante de variedades; en un momento dado habló de galas (o quizás de galeras, no lo entendí muy bien). Con su pequeño ceceo, se estaba acostumbrando lentamente a la desaparición de Bruno. Por desgracia, al terminar la comida, quiso dar por sentada la existencia de Serge. El suéter se crispó con violencia.

–¿Puedo seguir hablándote de él? –preguntó la otra tímidamente.

–Sí, pero no te enrolles.

Cuando se marcharon, saqué una voluminosa carpeta de recortes de prensa. Por enésima vez en quince días, intenté sentirme aterrorizado por las perspectivas que abre la clonación humana. Hay que decir que la cosa empieza con mal pie, con esa foto de la valiente oveja escocesa (que además, como pudimos comprobar en el telediario, bala con pasmosa normalidad). Si el objetivo era asustarnos, habría sido más sencillo clonar arañas. Intento imaginar una veintena de individuos diseminados por la superficie del planeta con el mismo código genético que yo. Es algo que me perturba, sí (por otra parte, le perturba hasta a Bill Clinton, que ya es decir); pero no, no me aterroriza exactamente. ¿Acaso he llegado al extremo de burlarme de mi código genético? No, tampoco. Definitivamente, la palabra es perturbación. Después de leer unos cuantos artículos más, me doy cuenta de que ése no es el problema. Al contrario de lo que se repite de la manera más tonta, es falso que «ambos sexos podrán reproducirse por separado». De momento la mujer sigue siendo, como subraya acertadamente *Le Figaro*, «insoslayable». Por el contrario, es cierto que el hombre ya casi no sirve para nada (lo humillante de esta historia, por otra parte, es la sustitución del espermatozoide por una «leve descarga eléctrica»; eso nos deja por los suelos). En el fondo, ¿para qué sirven los hombres? Uno puede imaginar que en otras épocas, cuando había muchos osos, la virilidad desempeñara un papel específico e irreemplazable; ahora, cabe la duda.

La última vez que oí hablar de Valérie Solanas,[1] fue en un libro de Michel Bulteau, *Flowers;* se habían visto en Nueva York en 1976. El libro estaba escrito trece años más tarde; es evidente que el encuentro dejó huella en Bulteau. Describe a una mujer «con la piel verdosa, el pelo sucio, vaqueros y una cazadora mugrienta». Ella no se arrepentía lo más mínimo de haber disparado contra Warhol, el padre de la clonación artística. «Si veo otra vez a ese

1. Solanas, que llegó a ser heroína de muchos grupos feministas, disparó en 1968 contra Andy Warhol, que encabezaba su lista de hombres con los que había que acabar. *(N. de la T.)*

cabrón lo vuelvo a hacer, joder.» Todavía se arrepentía menos de haber fundado el movimiento SCUM (Society for Cutting Up Men) y se disponía a escribir la segunda parte de su manifiesto. Luego, silencio. ¿Habría muerto? Más raro aún, el famoso manifiesto desapareció de las librerías; para hacerse una idea fragmentaria hay que ver la cadena Arte[1] bien entrada la noche y soportar la dicción de Delphine Seyrig.[2] A pesar de todos estos inconvenientes, merece la pena: los extractos que he podido escuchar son realmente impresionantes. Y ahora, gracias a Dolly, la Oveja del Futuro, por primera vez se dan las condiciones técnicas necesarias para que se realice el sueño de Valérie Solanas: un mundo exclusivamente compuesto por mujeres. (Por añadidura, la petulante Valérie desarrollaba ideas sobre los temas más variados; yo anoté, entre otros, el de «Exigimos la abolición inmediata del sistema monetario». Definitivamente, ya es hora de que alguien reedite ese texto.)

(Mientras tanto, Andy el astuto duerme en nitrógeno líquido, en espera de una muy hipotética resurrección.)

Aquellas que estén interesadas deben saber que pronto podría realizarse el experimento, quizás a pequeña escala; espero que los hombres sepan desaparecer sin perder la calma. De todos modos ahí va un último consejo para partir de una buena base: que no intenten clonar a Valérie Solanas.

1. Cadena televisiva francoalemana, especializada en producciones culturales. *(N. de la T.)*

2. Actriz teatral y cinematográfica francesa de la *nouvelle vague*, de dicción muy característica. *(N. de la T.)*

LA PIEL DE OSO

El verano pasado, a mediados de julio, en el telediario de las ocho de la tarde, Bruno Masure[1] anunció que una sonda norteamericana acababa de descubrir huellas de vida fósil en Marte. No había ninguna duda: las moléculas cuya presencia se había detectado, de cientos de millones de años de antigüedad, eran moléculas biológicas; nunca se habían hallado fuera de los organismos vivos. Estos organismos eran bacterias, probablemente arqueobacterias metánicas. Dicho esto, Masure pasó a otro tema; estaba claro que Bosnia interesaba más. Esta mínima cobertura en un medio de comunicación parece justificada, a priori, por el carácter poco espectacular de la vida bacteriana. La bacteria, en efecto, lleva una vida apacible. Crece tomando del entorno nutrientes simples y poco variados; luego se reproduce, de forma bastante anodina, mediante divisiones sucesivas. No conocerá nunca los placeres y los tormentos de la sexualidad. Mientras las condiciones sigan siendo favorables, seguirá reproduciéndose *(El rostro de Yahvé la mira favorable, y numerosas serán sus generaciones);* luego, muere. Ninguna ambición irreflexiva empaña su li-

1. Presentador de informativos en la televisión francesa. *(N. de la T.)*

mitado y perfecto recorrido; la bacteria no es un personaje de Balzac. Sí, puede ocurrir que pase su tranquila existencia en un organismo huésped (el de un teckel, por ejemplo), y que el organismo en cuestión sufra por ello e incluso acabe siendo destruido; pero la bacteria no se entera de nada, y la enfermedad de la que es agente activo se desarrolla sin mermar su serenidad. En sí misma, la bacteria es irreprochable; también carece del más mínimo interés.

Aun así, aquello era un acontecimiento. En un planeta cercano a la Tierra, unas macromoléculas biológicas habían logrado organizarse, elaborar vagas estructuras autorreproductoras compuestas de un núcleo primitivo y de una membrana poco conocida; luego todo se detuvo, probablemente por culpa de las variaciones climáticas; la reproducción se volvió cada vez más difícil, antes de interrumpirse por completo. La historia de la vida en Marte fue una historia modesta. Sin embargo (y Bruno Masure no parecía darse plena cuenta de ello), aquel minirrelato de un fracaso un poco insulso contradecía violentamente todas las construcciones míticas o religiosas que han hecho desde siempre las delicias de la humanidad. No había un acto único, grandioso y creador; no había pueblo elegido, ni especie ni planeta elegidos. Sólo había, un poco por todo el universo, tentativas inseguras y en general poco convincentes. Todo era, además, de una monotonía insoportable. El ADN de las bacterias halladas en Marte era idéntico al ADN de las bacterias terrestres; esta prueba, más que cualquier otra, me sumió en una vaga tristeza, porque esa identidad genética radical parecía prometer convergencias históricas agotadoras. En resumen, en la bacteria ya latían el tutsi y el serbio; y toda la gente que pierde el tiempo entre conflictos tan fastidiosos como interminables.

Pero la vida en Marte había tenido la feliz idea de desaparecer antes de causar demasiados estragos. Animado por el ejemplo marciano, empecé a redactar un rápido alegato a favor de la exterminación de los osos. En ese momento habían introducido una nueva pareja de osos en los Pirineos, lo que provocaba el descontento de los criadores de ovejas. Tamaña obstinación en sacar a estos plantígrados de la nada implicaba, sí, algo perverso, malsano; naturalmente, los ecologistas apoyaban la medida. Habían soltado a la hembra y luego, a varios kilómetros de distancia, al macho. Hay gente ridícula. Sin la menor dignidad.

Cuando le conté mi proyecto de exterminación a la directora de una galería de arte, ella opuso un argumento original, tirando, esencialmente, a culturalista. Según ella había que preservar al oso, porque pertenecía a la antigua memoria cultural de la humanidad. De hecho, las dos representaciones artísticas más antiguas que se conocen eran un oso y un sexo femenino. Según las últimas investigaciones, parecía que el oso era un poco más antiguo. ¿El mamut, el falo? Mucho más recientes, muchísimo más; ni siquiera merecía la pena discutirlo. Me incliné ante la autoridad del argumento. De acuerdo, salvemos a los osos. Para las vacaciones de verano recomiendo Lanzarote, que se parece mucho al planeta Marte.

ÍNDICE